AS GÊMEAS DE AUSCHWITZ

EVA MOZES KOR
& LISA ROJANY BUCCIERI

AS GÊMEAS DE AUSCHWITZ

A inspiradora história de uma jovem garota
sobrevivendo ao inferno

TRADUÇÃO
Saulo Krieger

COPYRIGHT © FARO EDITORIAL, 2023
FIRST PUBLISHED IN GREAT BRITAIN IN 2020 BY MONORAY, AN IMPRINT OF OCTOPUS PUBLISHING GROUP LTD

PUBLISHED IN THE UNITED STATES AS SURVIVING THE ANGEL OF DEATH BY TANGLEWOOD PUBLISHING, INC.,
TEXT COPYRIGHT © EVA MOZES KOR AND LISA ROJANY BUCCIERI, 2009, 2020
ADDITIONAL TEXT © PEGGY TIERNEY 2020 COPYRIGHT © OCTOPUS PUBLISHING GROUP LTD 2020

Todos os direitos reservados.
Nenhuma parte deste livro pode ser reproduzida sob quaisquer meios existentes sem autorização por escrito do editor.

Diretor editorial **PEDRO ALMEIDA**
Coordenação editorial **CARLA SACRATO**
Assistente editorial **LETÍCIA CANEVER**
Preparação **DANIELA TOLEDO**
Revisão **CRIS NEGRÃO** e **MARINA MONTREZOL**
Capa, projeto gráfico e diagramação **VANESSA S. MARINE**

DADOS INTERNACIONAIS DE CATALOGAÇÃO NA PUBLICAÇÃO (CIP)
Jéssica de Oliveira Molinari CRB-8/9852

Kor, Eva Mozes
  As gêmeas de Auschwitz : a inspiradora história de uma jovem garota sobrevivendo ao inferno / Eva Mozes Kor, Lisa Rojany Cuccieri ; tradução de Saulo Krieger. — São Paulo : Faro Editorial, 2023.
  160 p.

  ISBN 978-65-5957-259-5
  Título original: The twins of Auschwitz: The inspiring true story of a young girl surviving Mengele's hell

  1. Crianças judias no holocausto 2. Holocausto judeu (1939-1945) 3. Auschwitz (Campo de concentração) 4. Mengele, Josef, 1911-1979 I. Título II. Cuccieri, Lisa Rojany

22-6885   CDD 940.53

ÍNDICE PARA CATÁLOGO SISTEMÁTICO:
1. CRIANÇAS JUDIAS NO HOLOCAUSTO

1ª edição brasileira: 2023
Direitos de edição em língua portuguesa, para o Brasil, adquiridos por
FARO EDITORIAL.
Avenida Andrômeda, 885 - Sala 310
Alphaville — Barueri — SP — Brasil
CEP: 06473-000
www.faroeditorial.com.br

Sumário

Dedicatória — 07

Prólogo — 09

Capítulo 1 — 13

Capítulo 2 — 30

Capítulo 3 — 39

Capítulo 4 — 50

Capítulo 5 — 55

Capítulo 6 — 65

Capítulo 7 — 73

Capítulo 8 — 77

Capítulo 9 — 86

Capítulo 10 — 92

Capítulo 11 — 97

Capítulo 12 _____ 102

Capítulo 13 _____ 109

Capítulo 14 _____ 117

Epílogo de Eva _____ 119

Posfácio _____ 133

Nota da autora _____ 151

Biografia das autoras _____ 153

Créditos das fotos _____ 155

DEDICATÓRIA

Este livro é dedicado à memória de minha mãe, Jaffa Mozes, de meu pai, Alexander Mozes, de minhas irmãs, Edit e Aliz, e de minha irmã gêmea, Miriam Mozes Zeiger. Também o dedico às crianças que sobreviveram ao campo de concentração e a todas as crianças do mundo que sobreviveram à negligência e ao abuso, pois quero honrar a sua luta para superar o trauma de terem perdido a infância, a família e o sentimento de pertencimento a uma família. Por fim, este livro é dedicado em homenagem ao meu filho, Alex Kor, e à minha filha, Rina Kor, que são minha alegria, meu orgulho e meu desafio.

— EMK

A Olivia, Chloe e Genevieve: as razões para tudo.
E para a minha irmã, Amanda, por ter salvado a minha vida.

— LRB

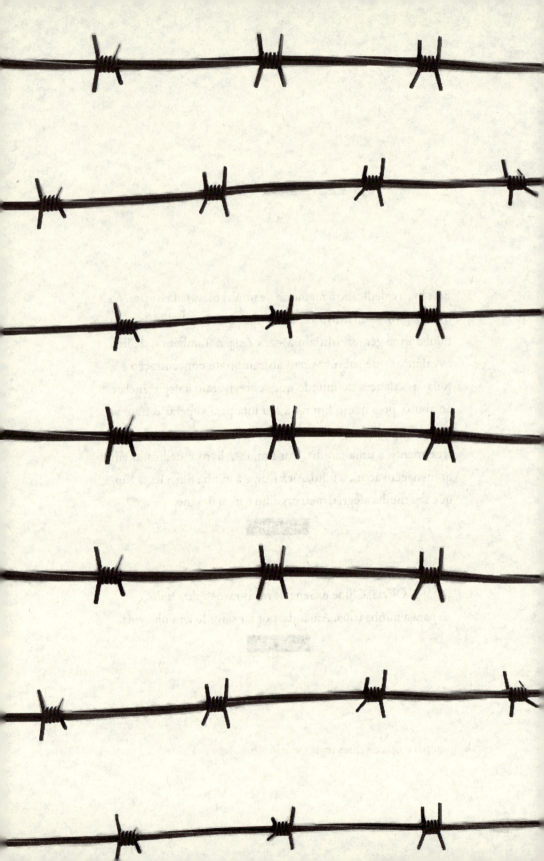

PRÓLOGO

As portas do vagão foram abertas em toda a sua extensão pela primeira vez em muitos dias, a luz do sol brilhava sobre nós como uma bênção. Dúzias de judeus tinham estado amontados naquele minúsculo vagão de gado enquanto ele chacoalhava pelos campos, nos levando para mais e mais longe de nossa casa na Romênia. Desesperadas, as pessoas se empurravam para abrir caminho.

Eu segurava firme a mão de minha irmã gêmea quando fomos impelidas para a plataforma, sem saber se era para estar feliz pela liberação ou com medo do que viria. O ar matinal estava frio, um vento gelado mordiscava nossas pernas nuas através do tecido fino de nossos vestidos bordô que combinavam.

Logo pude perceber que era muito cedo pela manhã, o sol mal começava o seu percurso no horizonte. Por toda parte que olhasse havia cercas altas, cortantes, de arame farpado. Em altas torres de vigilância, patrulhas da SS, *Schutzstaffel*, em alemão, debruçavam-se com as armas apontadas para nós. Cães de guarda mantidos por outros soldados da SS forçavam suas coleiras, latindo e rosnando como um cão raivoso que eu vira certa vez na fazenda, os lábios espumando, os dentes pontudos de um branco reluzente. Pude sentir meu coração palpitar.

A palma de minha irmã apertava suada e quente a minha. Minha mãe, meu pai e nossas duas irmãs mais velhas, Edit e Aliz, estavam perto de nós quando ouvi minha mãe num sussurro alto para meu pai.

— Auschwitz? É Auschwitz? Que lugar é esse? Não é a Hungria?

— Estamos na Alemanha — veio a resposta.

Havíamos cruzado a fronteira e entrado em território alemão. Na verdade, estávamos na Polônia, mas os alemães haviam tomado a Polônia. A Polônia da Alemanha era onde estavam todos os campos de extermínio. Não tínhamos sido enviados a um campo de trabalho húngaro para trabalhar, mas a um campo de extermínio nazista para morrer. Antes que tivéssemos tempo de digerir essas novidades, senti meu ombro sendo empurrado para um lado da plataforma.

— *Schnell! Schnell!* — Rápido! Rápido! Os guardas da SS ordenavam aos prisioneiros remanescentes no vagão de gado que se dirigissem à grande plataforma.

Miriam achegou-se para mais perto de mim enquanto éramos empurradas. A fraca luz do dia se obstruía e desobstruía à medida que pessoas mais altas eram primeiro encurraladas perto de nós para então serem afastadas pelos guardas para um lado ou para o outro. Parecia que estavam escolhendo alguns de nós, prisioneiros, para uma coisa e outros para outra. Mas para o quê?

Foi quando os sons à nossa volta começaram a aumentar. Os guardas nazistas agarraram mais pessoas, puxando-as para a direita ou para a esquerda na plataforma de seleção. Cães rosnavam e latiam. As pessoas do vagão de gado começaram a chorar, a berrar, a gritar todas de uma vez; todos procuravam membros da família enquanto eram arrancados uns dos outros. Homens foram separados de mulheres, crianças de seus pais. A manhã irrompia em puro pandemônio. Tudo começava a se mover mais e mais rápido à nossa volta. Era um rebuliço.

— *Zwillinge! Zwillinge!* — Gêmeos! Gêmeos! Em questão de segundos o guarda que nos apressava parou diante de nós. Encarou Miriam e a mim em nossas roupas idênticas.

— São gêmeas? — perguntou à mamãe.

Ela hesitou.

— Isso é bom?

— Sim — disse o guarda.

— Elas são gêmeas — respondeu mamãe.

Sem mais palavras, ele agarrou Miriam e a mim, arrancando-nos de mamãe.

— Não!

— Mamãe! Mamãe! Não!

Miriam e eu gritávamos e chorávamos tentando alcançar nossa mãe, que, por sua vez, lutava para nos seguir com os braços estendidos enquanto um guarda a segurava. Ele a lançou brutalmente para o outro lado da plataforma.

Nós urrávamos. Chorávamos. Implorávamos. Nossas vozes perdidas em meio ao caos, ao ruído e ao desespero. Mas não importava quanto chorássemos, quão alto gritássemos, não importava. Por causa daqueles vestidos bordô iguais, porque éramos gêmeas idênticas avistadas com tanta facilidade em meio à multidão de prisioneiros judeus sujos e exauridos, Miriam e eu tínhamos sido escolhidas. Logo estaríamos frente a frente com Josef Mengele, o médico nazista conhecido como o Anjo da Morte. Era ele que, na plataforma, selecionava os que iriam viver e os que iriam morrer. Mas ainda não sabíamos disso. Tudo o que sabíamos era que estávamos abruptamente sozinhas. Tínhamos apenas dez anos de idade.

E jamais veríamos papai, mamãe, Edit ou Aliz novamente.

Leste europeu no início da Segunda Guerra Mundial

CAPÍTULO 1

Miriam e eu éramos gêmeas idênticas, as mais novas de quatro irmãs. Se você ouvisse minhas irmãs mais velhas contarem, a contragosto, a história de nosso nascimento, logo saberia que nós duas éramos as queridinhas da família. O que pode ser mais doce ou fofo do que duas garotinhas gêmeas idênticas?

Nascemos em 31 de janeiro de 1934, no vilarejo de Portz, na Transilvânia, Romênia, perto da fronteira com a Hungria. Desde quando éramos bebês, nossa mãe gostava de nos vestir com roupas iguais, colocando enormes laços no nosso cabelo, de modo que quem visse logo saberia que aquelas pessoinhas eram gêmeas. Ela chegava até a nos deixar sentadas no peitoril da janela de casa; para os passantes, nós nem mesmo éramos pessoas de verdade, e sim bonecas preciosas.

Éramos tão parecidas que ela tinha de pôr identificações em nós para nos distinguir. Tias, tios e primos em visita à nossa fazenda gostavam de fazer brincadeiras conosco, tentando adivinhar quem era quem. "Quem é a Miriam? Quem é a Eva?", um tio intrigado perguntava com um brilho no olhar. Minha mãe sorria, orgulhosa, ante suas perfeitas bonequinhas, e minhas duas irmãs mais velhas deviam resmungar de ciúme. Mas independentemente de qualquer coisa, a maior parte das pessoas adivinhava errado. Quando já mais crescidinhas e na escola, usávamos a condição de gêmeas idênticas para pregar peças nas pessoas, o que para nós era diversão na certa. Sempre que possível, tirávamos vantagem de quão preciosas e únicas nós éramos.

Embora papai fosse rigoroso e nos alertasse, a nós e à mamãe, dos riscos da vaidade excessiva, enfatizando que até a Bíblia advertia quanto a isso, mamãe se preocupava muito com nossa aparência. Tínhamos nossas roupas feitas sob medida, como as pessoas ricas fazem hoje em dia com os estilistas. Ela encomendava tecidos da cidade e, quando chegavam, levava Miriam, eu e nossas duas irmãs mais velhas, Edit e Aliz, para uma costureira no vilarejo próximo de Szeplak. Na casa da costureira, deixavam-nos olhar atenta e avidamente revistas que traziam modelos da última moda. Mas era de nossa mãe a decisão final sobre o corte e a cor de nossos vestidos, pois naquela época as meninas usavam sempre vestidos, nunca calças ou macacões como os meninos. E mamãe sempre escolhia o bordô, o azul-claro e o rosa para mim e para Miriam. Depois de tiradas as nossas medidas, marcávamos um dia para a prova e, quando retornávamos, a costureira tinha os vestidos prontos para que os experimentássemos. O estilo e a cor deles eram sempre idênticos, duas peças feitas num par perfeito, igual em tudo.

Eva e Miriam Mozes, 1935

Os pais de Eva, Jaffa Mozes e Alexander

Outras pessoas podiam até ficar perplexas com nossa condição de gêmeas idênticas, mas papai conseguia distinguir Miriam e eu por nossa personalidade. Pelo modo como eu andava, por um gesto que fizesse ou no instante em que abrisse a boca para falar, ficava claro para ele quem era quem. Embora minha irmã tivesse nascido primeiro, eu era a líder. Eu era expansiva. Sempre que precisávamos pedir alguma coisa a papai, Edit, a irmã mais velha, encorajava-me para que eu chegasse perto dele.

Meu pai, um judeu religioso, sempre quis ter um menino, porque à época apenas um filho podia participar da adoração pública e entoar o *Kaddish*, a oração dos enlutados para os judeus, quando alguém morria. Mas papai não teve um menino, só a mim e minhas irmãs. Como eu era a mais nova das gêmeas e a última filha, ele muitas vezes me olhava e dizia: "Você deveria ter sido um menino". Acho que ele queria dizer que eu era a última chance de terem um menino. Minha personalidade simplesmente concretizou isso: eu era forte, e valente, e mais expansiva — bem como ele imaginava que um menino poderia ter sido.

Se por um lado essa minha personalidade forte me diferenciava, por outro também tinha seu lado negativo. Parecia que meu pai acreditava que tudo em mim estava errado: nada do que eu fizesse parecia agradá-lo. Muitas vezes brigávamos e discutíamos sem eu estar disposta a ceder. Para mim, não bastava ouvir como resposta que meu pai estava certo só porque ele era homem, meu pai e o chefe da família. Assim parecíamos estar sempre discordando, papai e eu.

Eu com certeza recebia mais atenção dele do que Miriam e minhas outras irmãs, mas nem sempre era o tipo de atenção que eu queria. Jamais fui de enfeitar a verdade com mentirinhas inofensivas e por isso eu estava sempre encrencada. Lembro de mim algumas vezes andando na ponta dos pés pela casa para evitar meu pai, assim como tenho certeza de que ele com frequência se cansava de minha boca grande.

Olhando para trás, contudo, percebo que minhas batalhas com o papai me fizeram resistente, tornaram-me ainda mais forte. Aprendi a driblar a autoridade. Essas batalhas com meu pai sem querer me prepararam para o que estava por vir.

Minha mãe era muito diferente de meu pai. Para uma mulher daqueles tempos, pode-se dizer que tinha recebido uma boa educação, já que nem todas as mulheres iam à escola. Especialmente entre judeus religiosos daquela época, de meninas e mulheres o que mais se esperava era que tomassem conta da casa e da família, enquanto a educação e o estudo ficavam reservados aos meninos. E se por um lado minha mãe garantia que aprendêssemos a ler, a escrever, entendêssemos matemática e estudássemos história e línguas, por outro ela também nos ensinava a cuidar das pessoas da nossa comunidade.

Éramos a única família judia em Portz, nosso vilarejo, e éramos amigos de todos. Minha mãe escutava todas as notícias da cidade e muitas vezes ajudava nossos vizinhos, em especial jovens grávidas em momentos de necessidade. Levava-lhes macarrão ou bolo, ajudava com os afazeres da casa quando estavam doentes, dava conselhos sobre como criar os filhos e lia instruções ou cartas de outros membros da família. Ensinou a mim e a minhas irmãs a seguir o seu exemplo, servindo os menos afortunados, ainda mais porque vivíamos melhor do que muitas outras pessoas em nosso pequeno vilarejo rural.

No entanto, por volta da época em que nascemos, o antissemitismo passou a impregnar nosso país: a Romênia. Isso significa que a maior parte das pessoas à nossa volta não gostava de judeus apenas por serem judeus. Nós, crianças, não tínhamos consciência do antissemitismo até 1940, com a chegada do exército húngaro.

Certa vez, meu pai nos contou de um incidente antissemita que aconteceu com ele em 1935, quando Miriam e eu tínhamos apenas um ano de idade. Naquele ano, a Guarda de Ferro — um violento partido político antissemita que controlava a administração do povoado, a polícia e os jornais — começou a incitar o ódio contra os judeus, inventando histórias falsas sobre quão más eram as pessoas judias e sobre como os judeus queriam enganar todos para dominar o mundo. Meu pai e Aaron, seu irmão, foram presos pela Guarda de Ferro romena sob acusações falsas de não terem pagado impostos. Mas era tudo mentira; eles sempre tinham pagado seus impostos. Foram apontados e levados à prisão apenas por serem judeus.

Papai nos contava que quando ele e tio Aaron saíram da prisão, decidiram ir à Palestina para ver se poderiam construir uma vida lá. A Palestina, à época, era uma área de terra no Oriente Médio na qual o povo judeu tinha vivido antes de seu exílio, na época do Império Romano: especialmente durante períodos de perseguição, era sempre lembrada como pátria por muitos judeus. Uma parte da Palestina havia sido reservada para imigração judia no início do século XX e acabou se tornando o estado independente de Israel em 1948.

Meu pai e tio Aaron ficaram na Palestina alguns poucos meses e então voltaram à Romênia. Assim que retornaram, tio Aaron e sua mulher venderam todas as suas terras e posses e planejaram emigrar ou se mudar.

Papai também insistia com a mamãe para deixar tudo e ir se estabelecer na Palestina.

— Lá é bom — dizia ele. — O país é quente. Há muitos empregos.

— Não — protestava ela. — Eu não posso me mudar com quatro crianças pequenas.

— Precisamos ir embora agora, antes que as coisas por aqui fiquem piores para nós — insistia meu pai, preocupado com as notícias que ouvia sobre a crescente perseguição aos judeus em todo o país e na Europa.

— O que eu vou fazer lá? Como é que vamos nos virar? Não tenho vontade de viver no deserto — dizia minha mãe. E como as mães por vezes fazem, batia o pé e se recusava a ir. Sempre me pergunto como nossa vida teria sido se ela tivesse cedido.

Em nosso pequeno vilarejo na Romênia, vivíamos numa bela casa, numa ampla fazenda. Tínhamos milhares de hectares de plantações — trigo, milho, feijão e batatas. Tínhamos vacas e ovelhas, com as quais produzíamos queijo e leite. Tínhamos uma vasta vinícola e produzíamos vinho. Tínhamos hectares de pomares, que nos davam maçãs, ameixas, amoras e suculentas cerejas em três cores: vermelhas, pretas e brancas. No verão, essas cerejas se tornavam brincos bonitos quando fazíamos de conta que éramos senhoras sofisticadas e elegantes. Mamãe também adorava seu jardim florido na frente de casa e o quintal com verduras e legumes nos fundos, além de suas vacas, galinhas e gansos.

Portz, Transilvânia

Na fileira de cima (da esquerda para a direita): Aliz, papai, Edit e a amiga Luci
No meio: Eva, mamãe, Miriam. Embaixo: primo Shmulik

Mas o que mais a preocupava era deixar para trás a sua mãe. Nós, crianças, amávamos visitar a vovó e o vovô Hersh. E minha mãe, como filha única, sentia-se responsável por tomar conta da vovó Hersh, que não estava com a saúde muito boa e não raro precisava de mamãe para cuidar dela.

— Além do mais, estamos seguros aqui — dizia minha mãe. Ela acreditava mesmo que os rumores de judeus sendo perseguidos por alemães e seu novo chefe de Estado, Adolf Hitler, eram apenas isto: rumores. Não via a necessidade de fugir para a Palestina ou para a América, lugares seguros para judeus como nós. Então ficamos em Portz.

Portz, um povoado em ampla medida cristão de cem famílias, tinha um reverendo. A filha do reverendo, Luci, era a nossa melhor amiga; Miriam e eu adorávamos brincar com ela. No verão, subíamos em árvores no pomar, líamos histórias e encenávamos peças num pequeno teatro que fazíamos com um lençol estendido entre duas árvores. No inverno, chegávamos a ajudar Luci a decorar sua árvore de Natal — não contávamos a nosso pai, pois ele não aprovaria.

Mesmo quando os rumores sobre judeus sendo deportados para campos de trabalhos forçados começaram a se espalhar aqui e ali, mamãe não acreditava que estávamos correndo perigo. Mesmo quando ouvimos falar dos novos guetos — áreas restritas de cidades europeias onde os judeus eram forçados a viver, de modo que pudessem ser mantidos em degradação e pobreza —, nós não acreditamos que estivéssemos realmente em perigo. Mesmo quando judeus foram despojados de todos os seus bens, de todas as liberdades, enviados para os campos e forçados a trabalhar sem remuneração, como escravos, não pensávamos que pudesse acontecer conosco. Jamais pensávamos que eles pudessem chegar a nosso minúsculo vilarejo.

Uma de minhas mais remotas lembranças é a dos homens de um campo de trabalho judeu de Budapeste que passaram por nosso vilarejo. O governo húngaro havia trazido esses trabalhadores escravos do campo de trabalhos forçados para atuar nas ferrovias; quando o serviço terminou, os trabalhadores foram levados de volta ao campo. Enquanto atuavam na ferrovia, não tendo lugar para passar a noite, meu pai deixava que dormissem todos em nosso celeiro. Algumas vezes suas esposas vieram em visita e ficaram na nossa casa. Em retribuição, as mulheres nos traziam uma porção de brinquedos e, mais importante, uma porção de livros da cidade. Nós, crianças, passávamos horas absorvidas no mundo daqueles livros. Eu conseguia terminar um livro num único dia. Por causa deles, desenvolvi um amor pela leitura já em tenra idade.

Como só mais tarde fiquei sabendo por minhas leituras, Adolf Hitler tinha chegado ao poder na Alemanha como chefe do Partido Nazista em 1933. Hitler odiava judeus tanto quanto a Guarda de Ferro romena, e os líderes dos partidos antissemita e racista tornaram-se aliados, juntando-se em seu ódio e em seus planos para governar toda a Europa. Foi então que, em setembro de 1939, a Segunda Guerra Mundial teve início, com as tropas nazistas invadindo a Polônia. Os húngaros, sob a liderança de Miklós Horthy, confiavam em Hitler e se tornaram seus aliados. Tudo isso começava a acontecer à nossa volta, mas ainda um tanto longe de nós, a ponto de apenas papai se inquietar com nossa segurança.

Porém, no verão de 1940, quando Miriam e eu estávamos com seis anos de idade, as coisas mudaram. Hitler deu para a Hungria a parte mais ao norte da Transilvânia. Na época, a população da Transilvânia, a área mais ampla no entorno de nosso vilarejo, era meio húngara, meio romena. Mas no vilarejo todo mundo era romeno. Rumores se espalharam de que o exército húngaro mataria judeus e romenos e poria fogo no povoado. Mesmo sendo uma criança de seis anos, eu sabia que estávamos em perigo.

Miriam, a mais quieta de nós duas, sentia a minha ansiedade; deve tê-la visto estampada em meu rosto e em minha linguagem corporal. Mas ela nunca reclamava, não era da sua natureza.

Certo dia, soldados húngaros marcharam pelo nosso povoado, com o oficial comandante conduzindo as tropas num carro preto longo e reluzente. Foi tão impressionante quanto pretendia ser. Nós, do vilarejo, deveríamos tomar conhecimento: os exércitos estavam agora no poder, e nós tínhamos de saudá-los! Ouvimos os soldados a cantar: "Somos os soldados de Horthy, os mais belos soldados do mundo!".

Naquela noite, mamãe e papai permitiram que os soldados acampassem em nosso quintal. O comandante dormiu em nosso quarto de hóspedes. Mamãe deu aos oficiais um tratamento de primeira linha: assou sua melhor torta e os convidou para jantar com nossa família. Lembro de que conversaram muito sobre boa comida, e Miriam e eu estávamos entusiasmadas por nos sentar à mesa com aqueles homens importantes de uniforme. Foi uma noite agradável, e os oficiais elogiaram os dotes culinários de mamãe. Antes de irem dormir, beijaram sua mão ao lhe agradecer, hábito cortês de muitos homens europeus e húngaros da época. Cedo pela manhã, eles foram embora, e nossos pais pareceram tranquilizados.

— Está vendo? — disse mamãe. — Não é verdade essa conversa de que estão matando judeus. São autênticos cavalheiros.

— Por que as pessoas estariam contando essas histórias? — perguntou papai, sem esperar uma resposta, muito menos um desacordo de minha mãe ou de alguém da família. — Você está certa. Os nazistas jamais chegarão a um vilarejo pequeno como o nosso — concluiu. Isso tínhamos de tomar como um fato. Papai tinha dito.

No entanto, tarde da noite, por trás de portas fechadas, nossos pais ouviam um rádio movido a bateria. Falavam entre si em iídiche, língua que nenhuma de nós, garotas, compreendia, enquanto discutiam as notícias. O que estariam ouvindo que pudesse ser tão secreto? Que pudesse fazer com que tentassem esconder de nós, garotas?

Pressionei a orelha contra a porta e interceptei, tentando ouvir o que estava acontecendo.

— Quem é Hitler? — perguntei quando eles saíram.

Mamãe rebatia nossas questões com tranquilizações despreocupadas.

— Vocês não precisam se preocupar com nada. Tudo vai ficar bem.

Mas tínhamos ouvido algo das notícias do rádio com Hitler bradando sobre matar todos os judeus. Como se fôssemos insetos! *Sentíamos* que havia problema, não importava o quanto nossos pais tentassem nos tranquilizar. E por causa do comportamento sigiloso deles, até Miriam ficava ansiosa. Estávamos sempre preocupadas, mesmo sendo crianças pequenas. Havia uma inquietação quanto ao que não era dito, ao que não era discutido.

Naquele outono, em 1940, Miriam e eu começamos a ir à escola. Ao contrário das escolas primárias de hoje em dia, nossa escola tinha crianças do primeiro ao quarto anos juntas numa mesma sala de aula. Miriam e eu éramos as únicas judias. Também éramos as únicas gêmeas. Todo dia íamos de roupas iguais e com a mesma fita colorida atada ao final de nossas longas tranças. Como nossa família, nossos colegas de classe também gostavam de adivinhar quem era quem.

Também ficamos sabendo que tínhamos duas novas professoras húngaras na escola, que haviam sido trazidas da cidade pelos nazistas. Para a minha surpresa, elas trouxeram consigo livros contendo calúnias contra judeus. Os livros também mostravam caricaturas ilustrando os judeus como palhaços com um grande nariz e barriga saliente. E, maravilha das maravilhas, pela primeira vez vimos "imagens saltadas", projetadas na parede — que no começo chamávamos de "imagens em movimento", porque não sabíamos o que era um filme. Lembro claramente de ter assistido a um filme curto chamado *Como pegar e matar um judeu*. Esses filmes de propaganda, algo como os comerciais de hoje em dia, porém cheios de ódio, eram exibidos antes dos longas-metragens nos teatros nas cidades. Imagine assistir a instruções sobre como matar um judeu antes de um filme da Pixar!

Assistir ao filme de ódio e ler aqueles livros racistas foi algo que inflamou os outros alunos. Nossos amigos, ou outras crianças que tinham sido amigas, começaram a chamar a mim e a Miriam por nomes como "judias sujas, fedorentas". Aqueles xingamentos realmente me deixavam com raiva. Quem eram eles para nos chamar de sujas? Eu sabia que era tão ou talvez até mais limpa do que qualquer um deles! As crianças começaram a cuspir em nós e a nos bater em todas as oportunidades. Um dia, vimos que nosso livro de matemática continha o seguinte problema: "Se você tinha cinco judeus e matou três judeus, quantos judeus sobraram?".

Transtornadas e amedrontadas, Miriam e eu voltamos para casa chorando. Nossas roupas estavam imundas, porque mais uma vez tínhamos sido empurradas no barro, e nossos rostos empoeirados estavam riscados de lágrimas.

— Meninas, eu sinto tanto! — disse mamãe, nos abraçando e nos beijando. — Mas não há nada que possamos fazer. Não se preocupem! Apenas sejam boas meninas. Façam suas preces, façam suas tarefas na fazenda e estudem a lição.

Um dia, na escola, em 1941, alguns garotos pregaram uma peça na professora quando ela estava de costas. Puseram ovos de pássaro na cadeira dela. A classe inteira sabia que os ovos estavam ali, mas ninguém disse nada. Nós todos seguramos a respiração quando ela se voltou e se sentou. É claro que, no segundo em que seu traseiro atingiu a cadeira, os ovos se quebraram, melecando o vestido novo.

— Foram as judias sujas! — afirmou com prontidão um dos garotos da classe.

— Foram vocês? — perguntou a professora, olhando para mim e Miriam.

— Não, senhora professora, não! — Estávamos apavoradas. Nunca havíamos nos comportado mal daquele jeito ou pregado uma peça numa professora. Ouviríamos um monte de nossos pais caso ousássemos! E nós amávamos a escola e amávamos aprender.

E então aconteceu.

— Sim, foram elas! — gritaram as outras crianças. — Foram elas! Nós vimos! — Era como se de antemão tivessem feito um pacto secreto pelas nossas costas, e aquele estava sendo o resultado.

Miriam e eu protestamos, mas de nada adiantou. Éramos judias e éramos culpadas.

Sem fazer mais perguntas, a professora nos chamou à frente da classe para a nossa punição. Lançou grãos de milho seco no chão.

— Ajoelhem-se! — exigiu, apontando para nós.

Por uma hora, ela nos fez ficar de joelhos sobre aqueles grãos de milho diante da classe. Os grãos duros escavavam a carne de nossos joelhos nus. Mas isso não era o que realmente nos machucava. O que mais machucava eram nossos colegas de classe nos zombando, lançando olhares sardônicos para nós, fazendo caras feias e cínicas para nós. Miriam e eu estávamos tão chocadas quanto feridas.

Quando chegamos em casa e contamos o ocorrido, nossa mãe, chorando e nos abraçando, falou:

— Meninas, eu sinto muito. Somos judeus e simplesmente temos de aceitar. Não há nada que possamos fazer.

Suas palavras me deixaram com mais raiva do que a punição da professora. Eu mesma queria bater em alguém, esmurrar algo duro como aqueles grãos até virarem farinha seca de milho. Como as palavras de mamãe podiam ser verdadeiras?

Quando papai, ao final do dia, chegou do trabalho na fazenda e ouviu o que tinha acontecido conosco, sua atitude foi como a de mamãe.

— Por dois mil anos os judeus acreditaram que, se tentassem se entender bem com as pessoas, eles sobreviveriam — disse ele. — Temos de obedecer a tradição. Apenas tentem se entender bem com eles.

Pelo raciocínio de papai, já que morávamos tão longe e no meio do nada, os nazistas não iam se incomodar em ir até lá e nos levar.

Pela tarde e à noite, os distúrbios continuavam. Garotos adolescentes, que pertenciam ao Partido Nazista húngaro, mas ainda não tinham dezoito anos — idade em que começavam a servir no exército —, com frequência cercavam a nossa casa e ficavam gritando xingamentos durante horas. "Judeus sujos!", gritavam eles. "Porcos imundos!". E jogavam tomates e pedras que quebravam nossas janelas. Outras pessoas do vilarejo os ajudavam. Por vezes isso se prolongava por três dias inteiros, sem que pudéssemos sair de casa.

— Papai — eu pedia —, por favor vá lá fora e os faça parar! — Eu só queria que ele *fizesse* alguma coisa!

— Eva, não há nada que possamos fazer. Apenas aprender a levar.

À época, eu não tinha como saber, mas mamãe e papai por certo haviam percebido que, se tentassem parar aqueles delinquentes juvenis ou se revidassem, seriam presos e separados de nós. Pelo menos estávamos todos juntos, como uma família.

Miriam e eu nos sentamos na cama, recostadas uma à outra, com medo. Nossas irmãs se mantinham longe das janelas. Sabíamos que também estavam assustadas. As condições ficavam cada vez piores. Em junho de 1941, a Hungria entrou na Segunda Guerra Mundial como aliada, ou parceira de guerra, de Adolf Hitler, que odiava judeus, e da Alemanha, seu país. Em outras partes da Europa, os judeus estavam sendo forçados a usar uma Estrela de Davi amarela — a estrela judia — na parte de fora da roupa ou sobre o casaco, para que todos soubessem que eram judeus. Nós não tínhamos de usar a estrela amarela, mas todo mundo sabia que éramos judeus. Estávamos cada vez mais isolados em nosso vilarejo.

Ao contrário de muitas crianças judias na Europa, Miriam e eu ainda podíamos frequentar a escola com outras crianças não judias, embora estivesse ficando cada vez mais difícil para nós, já que as provocações e os insultos não paravam. Edit e Aliz, as irmãs mais velhas, tendo mais sorte, aprendiam alemão, arte, música, desenho, matemática e história — todas as matérias exigidas no ensino médio — com um professor judeu que morava conosco.

À medida que a luz do outono escurecia num início de inverno, os dias ficavam mais curtos; e nossa vida, mais limitada. Já não nos aventurávamos a brincar do lado de fora, tampouco íamos ao povoado como antes. Nossos pais jamais deixavam transparecer o que sentiam, mas Miriam e eu estávamos cada vez mais temerosas.

Aconteceu que, certa noite, em fins de setembro de 1943, mamãe e papai vieram nos acordar, sacudindo-nos.

— Eva! Miriam! — sussurraram às pressas. — Vistam-se! Ponham roupas quentes, o máximo que puderem, seus casacos e botas. *Não* acendam aquela lamparina! Tem de ficar tudo escuro. E façam silêncio, muito silêncio.

— O que está acontecendo? — perguntei, sonolenta.

— Apenas faça o que dissemos! — murmurou papai.

Vestimos nossas roupas quentes em camadas e fomos para a cozinha. Pela luz das brasas incandescentes na lareira, vimos nossas irmãs mais velhas ali de pé. Elas também estavam empacotadas de tanto agasalho, o rosto parecendo pedra nas sombras.

Papai juntou as quatro garotas e sussurrou:

— Meninas, chegou a hora de irmos embora. Vamos tentar cruzar a fronteira para o lado não húngaro da Romênia, onde estaremos seguros. Nos sigam e lembrem-se: sem barulho.

Em fila indiana, com papai na dianteira e mamãe na retaguarda, escapulimos da casa e adentramos a escuridão. Lá fora fazia frio e ventava. Mas, naquele momento, tínhamos apenas um pensamento: estávamos em perigo, em sério perigo. E estávamos fugindo.

Em silêncio caminhamos, um após o outro, para o portão de trás de nossa propriedade, pelas margens do pomar. Um pouco além do portão estavam os trilhos da ferrovia. Não havia trens passando à noite. Estava silencioso, exceto pelos sons dos grilos e o canto ocasional de um pássaro noturno. Se caminhássemos ao longo dos trilhos por uma hora ou coisa assim, sabíamos que chegaríamos à parte segura da Romênia.

Quando papai alcançou o portão no limite de nossa propriedade, inclinou-se para destravá-lo e abri-lo com um empurrão.

— Parem! — gritou uma voz. — Se derem mais um passo, eu atiro!

Um jovem nazista húngaro apontava uma arma para nós. Um grupo de adolescentes usando a braçadeira nazista húngara com suásticas e quepes cáqui tinha estado de guarda na nossa fazenda, parado ali para garantir que não escapássemos. Quanto tempo teriam ficado ali era o que todos se perguntavam.

Éramos apenas seis judeus. Como poderíamos ser tão importantes? Agarrei a mão de Miriam sem ousar olhar diretamente para eles, mas com furtivas olhadelas para os soldados. Papai fechou o portão, e os garotos vieram andando conosco de volta para casa.

Nossa única chance de escapar acabara de evaporar.

CAPÍTULO 2

Em 31 de janeiro de 1944, Miriam e eu completávamos dez anos de idade. Nos aniversários de família, mamãe sempre fazia um bolo e tornava o dia uma ocasião divertida e festiva. Mas Miriam e eu não chegamos a celebrar nosso décimo aniversário. Mamãe estava muito doente. Desde outubro, logo depois que o adolescente nazista impediu nossa fuga, ela estava doente com febre tifoide, ficando de cama durante todo o inverno. Naquela época, não havia remédio fácil para aplacar as dores da febre e da doença como hoje conseguimos em qualquer farmácia. Nós estávamos preocupados com ela e se ela iria melhorar. Nossa mãe sempre foi tão forte e saudável.

Uma senhora judia de um povoado próximo veio morar conosco para cuidar dela e tocar a casa. Edit, Aliz, Miriam e eu ajudávamos com mais tarefas do que era nossa participação usual na fazenda. As autoridades nazistas e húngaras nos observavam, mas jamais estivemos em prisão domiciliar ou impedidos de sair de casa. Por ora, parecíamos estar em segurança. Até continuávamos a frequentar a escola, exceto nos raros dias em que os nazistas não nos deixavam ir. Naqueles dias estudávamos em casa como nossas irmãs mais velhas.

Nossa relativa liberdade chegou a um abrupto fim numa manhã de março daquele ano de nosso décimo aniversário. Dois *gendarmes*, ou policiais húngaros, chegaram em nosso quintal da frente. Logo estavam batendo à porta.

— Peguem seus pertences! Reúnam tudo. Vocês serão deslocados para um centro de transportação. — Não era um pedido; era uma ordem. — Vocês têm duas horas para reunir seus pertences.

Mamãe mal tinha forças para sair da cama. Papai e nossas irmãs mais velhas empacotaram comida, roupas de cama, roupas — para todas as necessidades que pudessem cogitar. Miriam e eu escolhemos vestidos iguais e juntamos mais outros dois conjuntos de roupas idênticas.

Quando os policiais nos conduziram para fora de nossa casa, todo mundo em Portz nos observava partir pela estrada que cruzava o vilarejo. Os vizinhos saíam de suas fazendas e se perfilavam junto à estrada. Nossos colegas da escola se limitaram a olhar fixamente. Ninguém tentou impedir os *gendarmes* de nos levarem embora. Ninguém disse uma única palavra.

Eu não estava surpresa. Desde que começou a circular a notícia de que tínhamos tentado fugir no meio da noite, as condições continuaram a piorar; o assédio das pessoas do vilarejo e de seus filhos tinha se tornado mais odioso e mais frequente.

Até mesmo Luci, minha melhor amiga e de Miriam, estava muito quieta, seus olhos sem cruzar com os nossos quando nos aproximamos de sua casa. Ela não disse que sentia muito nem nos deu nada para que nos lembrássemos dela e levássemos conosco em nossa viagem. Pouco antes de passar pela casa dela, lancei-lhe um olhar. Ela olhou para baixo. Em silêncio, deixávamos a casa que desde sempre conhecêramos.

Fomos reunidos num vagão coberto, puxado por cavalos. Os policiais nos levaram para uma cidade chamada Şimleu Silvaniei, a cerca de cinco horas dali. Uma vez lá, fomos forçados a ficar num gueto com mais de sete mil outros judeus de nossa área romena da Transilvânia. Miriam e eu jamais tínhamos visto tanta gente. Para nós, cem pessoas — o número de vizinhos em nosso povoado — já era uma multidão. Sete mil pessoas — todos judeus! — eram mais do que já tínhamos visto de uma só vez em nossa vida inteira.

Mais tarde ficamos sabendo que Reinhard Heydrich, chefe do Serviço de Segurança do Terceiro Reich, o *Sicherheitsdienst*, tinha emitido uma ordem oficial: todos os judeus em áreas ocupadas por nazistas teriam de ser transferidos para locais especiais reservados para eles; esses locais eram chamados de guetos. Jamais havíamos ouvido falar disso até então. Guetos eram áreas fechadas por cercas, muros ou arame farpado e ficavam nas regiões mais desvalorizadas das cidades ou nas partes mais pobres da zona rural. Aos judeus era proibido sair dali sem uma permissão especial, e a pena seria a de morte para os que tentassem.

Nosso gueto estava situado num campo fechado por uma cerca de arame farpado que parecia ter sido erguida às pressas. O rio Barcău (Berretyo) cruzava o meio do campo. A única edificação ali era uma fábrica de tijolos abandonada, que o comandante, ou primeiro oficial de segurança, ocupava como seu quartel-general. Não havia tendas, ou cabines, ou outras estruturas em que judeus pudessem se abrigar ou dormir. O comandante dizia que nós logo seríamos levados para os campos de trabalho na Hungria e lá permaneceríamos até o final da guerra. "Nenhum mal acontecerá a vocês", ele prometia.

Miriam e eu ajudamos papai e nossas irmãs mais velhas a erguer uma tenda sobre o solo úmido com lençóis e cobertores que havíamos trazido. Nós penávamos e bufávamos enquanto o comandante do gueto andava de um lado para o outro com as mãos na cintura, bradando:

— Não é bonito ver os filhos de Israel vivendo em tendas como nos dias de Moisés? — E ria alto, histérico, como se tivesse contado a si mesmo a piada mais engraçada sobre a face da terra.

Nossa família inteira ficava sob a mesma tenda. Cada vez que o céu se fechava e começava a chover, o comandante ladrava num megafone: "Desarmem as tendas! Agora quero que elas sejam erguidas do *outro* lado". Não havia razão para isso, exceto a crueldade pura e simples. O tempo que levava para desarmar as tendas, cruzar a ponte e armar nosso abrigo novamente na lama já nos deixava ensopados.

Mamãe ainda estava muito fraca em razão da doença e viver ao relento, na chuva e no frio, só a deixava pior. À noite, Miriam e eu dormíamos juntinhas, nossos corpinhos dando uma à outra calor e conforto.

Durante a nossa estada, o chefe de cada família era levado para o quartel-general para interrogatório. Um dia, guardas alemães vieram em busca de papai e o levaram para interrogá-lo. Eles acreditavam que meus pais estivessem ocultando ouro e prata ou que tivessem escondido coisas valorosas em nossa fazenda. Queriam saber exatamente onde. Mas papai era um fazendeiro cujas únicas riquezas eram a terra e as colheitas que ele produzia. Ele disse aos guardas que não tinha prata, exceto pelos candelabros de nosso Shabbat ou Sabbath. Quatro ou cinco horas mais tarde, trouxeram-no de volta à nossa tenda em uma maca. Estava coberto com marcas de chicote, o sangue escorria. Tinham queimado suas unhas das mãos e dos pés com a chama de velas. Levou muitos dias para que se recuperasse.

Miriam e eu nos sentíamos impotentes. Éramos crianças e esperávamos que nossos pais tomassem conta de nós. Mas não havia nada que eles pudessem fazer para que as coisas melhorassem para a gente. E não havia nada que pudéssemos fazer pelo papai.

Nossa irmã mais velha, Edit, encarregava-se da alimentação. Quando viemos, tinha sido dito a nós para levarmos quantidade de comida para duas semanas, mas mamãe fez com que nós, meninas, trouxéssemos tudo o que pudéssemos carregar — feijão, pão e macarrão. À medida que as semanas se passavam, fomos racionando a nossa comida, passando a comer feijão uma vez por dia. Algumas vezes, pessoas não judias vinham até as margens do gueto e deixavam ali comida e outros suprimentos, mas eu não me lembro se algum dia fizemos algum uso disso para a nossa alimentação.

Mamãe finalmente percebeu quão ruins estavam as coisas para nossa família. Miriam e eu reclamávamos de dormir no chão molhado e de uma dor que corroía nosso estômago o tempo todo, mas mamãe não podia nos ajudar como estava acostumada a fazer. Ela se sentava no chão, sempre balançando a cabeça.

— Tudo culpa minha — dizia. — Deveríamos ter ido para a Palestina.

Seus olhos, afundados pela doença e com olheiras escuras pela falta de um sono adequado, revelavam que ela estava sendo assombrada por sua decisão de não ter fugido para a Palestina com tio Aaron quando tiveram a chance. Agora, presa à miséria e às privações do gueto, mostrava-se cada vez mais abatida e deprimida.

Numa manhã de maio de 1944, guardas alemães vieram nos contar que iríamos para um campo de trabalho, que eles disseram ficar na Hungria.

— Isso é para a sua própria proteção. Se trabalharem, vão sobreviver — disseram. — Suas famílias ficarão unidas.

Tínhamos ouvido rumores, que circulavam entre os adultos nos guetos, de que judeus enviados à Alemanha seriam mortos. Então, pensávamos que, se ficássemos na Hungria, tudo estaria bem, estaríamos seguros.

Os guardas disseram para deixarmos nossos pertences, pois encontraríamos tudo de que necessitássemos no campo de trabalho. Mesmo assim, mamãe e nossas irmãs mais velhas ficaram com alguns poucos objetos de valor de nossa tenda. Papai levou seu livro de preces. Miriam e eu vestimos nosso par de vestidos bordô.

Os guardas nos conduziram até os trilhos do trem e puseram-nos feito manada no vagão de gado, empurrando e enfiando até que um vagão ficasse ocupado por de oitenta a cem pessoas. Os guardas fizeram de papai o responsável pelo nosso vagão. Disseram-lhe que, se alguém escapasse, ele seria fuzilado. As portas se fecharam bruscamente com uma barra de metal que deslizou por duas alças. Arame farpado cobria nossas quatro janelinhas, situadas no alto, duas de cada lado. Como alguém conseguiria escapar?

Miriam e eu nos comprimimos juntinhas. Não havia espaço para se sentar ou deitar, nem mesmo para crianças como nós. Muito embora eu fosse apenas uma garotinha, podia sentir que algo de horrível estava para acontecer. O simples fato de ver nossos pais tão impotentes, pais que eu sempre vira como protetores, sem serem capazes de proteger nossa família, punha qualquer senso de segurança completamente de cabeça para baixo.

Durante dias, nosso trem correu pelos trilhos, o som interminável das batidas interrompido apenas pelo zumbido ocasional do apito do trem. Não apenas não tínhamos lugar para nos sentar ou deitar, também não tínhamos comida ou bebida nem banheiros. Lembro-me de sentir muita sede, minha boca ficava pastosa e seca.

Quando o trem parou para reabastecer no primeiro dia, papai pediu água para o guarda. O guarda exigiu em troca cinco relógios de ouro. Os adultos reuniram os relógios e os entregaram. Então o guarda lançou um balde de água pela janela de arame farpado. A água respingou sem nenhuma utilidade. Não me lembro de ninguém pegar água alguma. Posso ter pegado uma gota ou duas, mas aquilo nem sequer começava a saciar a minha sede. No segundo dia, o trem parou novamente, e a mesma coisa aconteceu com a água.

Ao final do terceiro dia, o vagão de gado parou, e papai, falando húngaro, pediu água a um guarda. Alguém respondeu em alemão:

— *Was? Was?* — O quê? O quê? Ele não compreendia papai.

Foi então que nos demos conta. Já não estávamos na Hungria. Tínhamos cruzado a fronteira com a Polônia, agora território alemão. Um sentimento de horror se apoderou de nós. Até então havia esperança. Todo mundo, inclusive eu, havia entendido que enquanto estivéssemos na Hungria, haveria alguma chance de irmos a um campo trabalhar. Todo mundo sabia que alemães e Alemanha significavam a morte para os judeus. Muitas pessoas começaram a rezar. O vagão de gado se encheu com o som de adultos que mal podiam abafar seu choro, enquanto crianças alimentavam um desespero aberto. Aqui e ali alguém tentava recitar a *Shemá*, prece hebraica para que Deus nos ouça, para que nos salve.

O trem começou a se mover novamente. Miriam e eu estávamos quietas enquanto ele ganhava velocidade, indo cada vez mais rápido. Tínhamos passado três dias sem água ou comida.

No quarto dia, o trem parou. Papai voltou a chamar o guarda para pedir água. Ninguém respondeu.

Percebemos que havíamos chegado a nosso destino. Fiquei na ponta dos pés para olhar pela janela. O céu estava escuro. Ouvimos muitas vozes de alemães gritando ordens lá fora por uma hora ou duas. As portas se mantinham fechadas.

O alvorecer finalmente chegou, era a hora em que papai fazia suas preces matutinas. Sacou seu livro de preces e tentou descobrir para qual direção ficava o leste, isso porque judeus oram na direção de Israel, que fica no Oriente Médio. Eu me perguntava como ele podia orar num momento como aquele.

— Papai — eu disse —, nós não sabemos onde estamos. Eles mentiram para nós. Não estamos num campo de trabalho.

— Eva, temos de orar a Deus por misericórdia — disse papai. — Venha comigo.

Ele atraiu nossa família para um canto do vagão de gado. Miriam e eu nos espremexos para junto dele e fomos seguidas por nossas irmãs e por mamãe. Ouvimos em silêncio nosso pai falar:

— Prometam-me que, se qualquer um de vocês sobreviver a esta guerra terrível, irão para a Palestina, onde vive seu tio Aaron e onde os judeus podem viver em paz.

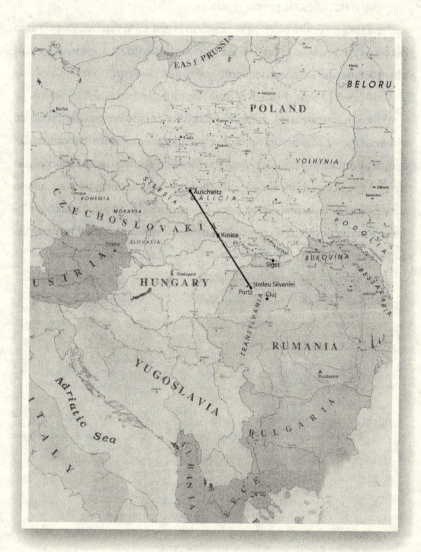

A viagem de Eva

Ele nunca havia falado conosco, as garotas, daquele jeito, com respeito, como se fôssemos adultas. Miriam, eu e nossas irmãs mais velhas concordamos solenemente.

Papai iniciou suas preces matinais.

Lá fora eu podia ouvir as vozes alemãs gritando ordens. Cães latiam para nós de todas as direções. As portas do vagão se abriram com um chiado. Guardas da SS ordenaram que todos saíssem.

— *Schnell! Schnell!* — Rápido! Rápido!

Eu via cercas altas de arame farpado, torres de guarda feitas de cimento por toda parte. Soldados pendiam delas com os canos das armas apontados para nós. Não faço ideia de como passamos do vagão de gado para a plataforma de seleção. Miriam e eu podemos ter pulado ou descido uma rampa de madeira. O caso é que logo estávamos na plataforma em completo terror, duas garotas de dez anos em idênticos vestidos bordô.

CAPÍTULO 3

Mamãe pegou Miriam e a mim pelas mãos. Nós nos alinhamos, lado a lado, na plataforma de concreto. O cheiro me atingia: um odor desagradável que eu jamais sentira antes. Lembrava-me de penas de galinha queimadas. Em casa, na fazenda, sempre após depenar uma nós chamuscávamos as últimas penugens a fim de limpá-la. Mas ali, na plataforma, o mau cheiro era avassalador. Era como se você andasse no meio dele, em volta dele. Estava por toda a parte, era inescapável. Não descobri de pronto o que realmente viria a ser aquele cheiro.

O lugar era confuso e barulhento. Pessoas berravam. Havia gritos.

Confusão.

Desespero.

Latidos.

Ordens.

Choro. Choro. Choro. Choro de crianças por seus pais. Choro de pais por seus bebês. Choro de pessoas confusas e desnorteadas. Choro de pessoas que viam com certeza que seus pesadelos tinham se tornado realidade. Todos juntos, os choros ressoavam com a última e mais inimaginável dor de perda humana, de desconsolo emocional e sofrimento.

Eu sentia como se estivesse olhando as coisas acontecerem com outra pessoa. Aqui e ali avistava camadas de cercas de arame farpado, fachos de uma luz forte e fileiras de edificações. Os guardas da SS andavam a passos largos por entre grupos de pessoas, como que procurando alguma coisa.

De repente, senti como se estivesse aterrissando em meu corpo novamente. Olhei em volta e senti o corpo de Miriam trêmulo perto de mim. Mas onde estava papai? E onde estavam minhas irmãs mais velhas, Edit e Aliz? Procurei desesperadamente, segurando firme as mãos de minha mãe e de minha irmã gêmea, num aperto de morte. Não conseguia encontrar o restante da minha família. Após quatro dias de proximidade intensa com minhas irmãs mais velhas e papai, em meu desnorteamento e confusão, eu os havia perdido.

A plataforma de seleção em Auschwitz.

Entrada de Auschwitz. O letreiro está em alemão e significa: "O trabalho liberta".

Jamais voltaria a vê-los.

Segurei firme a mão de mamãe. Um guarda da SS passou apressado. Estava dizendo alto em alemão: *"Zwillinge! Zwillinge!"* Gêmeos! Gêmeos! Passou por nós às pressas, então logo parou, rodou e voltou. Ficou diante de nós. Seus olhos iam e vinham entre o meu rosto e o de Miriam e percorriam de cima a baixo nossos vestidos bordô.

— São gêmeas? — perguntou à mamãe.

Ela hesitou.

— Isso é bom?

— Sim — disse o guarda.

— Elas são gêmeas — respondeu mamãe.

Sem mais uma palavra, ele agarrou a mim e Miriam, separando-nos de mamãe.

Gritávamos e chorávamos enquanto íamos sendo afastadas. Imploramos para que ele nos deixasse ficar com ela. O guarda alemão não deu atenção a nossas súplicas. Empurrou-nos pelos trilhos da ferrovia para longe da plataforma de seleção. Voltei a cabeça e vi minha mãe, desesperada, os braços estendidos em nossa direção, lamentando. Um soldado a pegou e a lançou em outra direção. Minha mãe desapareceu na multidão.

Depois disso, tudo aconteceu rápido, rápido demais. Na plataforma de seleção, guardas separavam as pessoas em grupos. Um grupo continha homens e mulheres jovens. Outro, crianças e pessoas mais velhas. Miriam e eu estávamos de mãos dadas quando fomos trazidas para um grupo com treze pares de gêmeos que tinham chegado com o nosso trem: vinte e seis crianças, todas amedrontadas e confusas.

Um guarda trouxe uma mãe e suas gêmeas para ficarem com o nosso grupo. Eu a reconheci! Era a sra. Csengeri, mulher do dono do armazém em Şimleu Silvaniei, a cidade perto do nosso vilarejo. Suas filhas gêmeas tinham oito anos, e quando íamos comprar em seu armazém, ela e mamãe gostavam de conversar sobre os problemas de criar gêmeos. Ela e suas meninas ficaram no nosso grupo. Mas por qual motivo os guardas tinham deixado a mãe delas acompanhá-las, e a nossa, não? Não tive tempo de ponderar muito sobre essa questão, pois as coisas começaram a acontecer de novo.

Meia hora se passou, e um guarda da SS nos conduziu a um grande edifício próximo à cerca de arame farpado. Tão logo entramos no edifício, ordenaram-nos que nos despíssemos. Eu tornei a me sentir entorpecida. Era como se eu não fosse parte do meu próprio corpo. Aquilo tudo era um pesadelo, não é? Terminaria no instante em que eu abrisse os olhos, e mamãe estaria ali para me confortar, não é? Mas eu não estava sonhando.

Em todos nós foi feito um corte de cabelo curto. O barbeiro explicou que gêmeos recebiam tratamento privilegiado. A nós era permitido manter algum cabelo. Por sorte, eu havia aprendido um pouco de alemão, de modo que podia entender num nível básico o que era dito. Quando vi nossas longas tranças caírem no chão, não me senti lá muito privilegiada.

Em seguida, fomos para o chuveiro. Nossas roupas tinham sido fumigadas com algum tipo de produto químico contra piolhos e retornaram para nós. Usar nossas próprias roupas era outro "privilégio" que nós, gêmeos, tínhamos, e outros prisioneiros, não. Miriam e eu pusemos nossos vestidos, mas agora cada qual tinha uma cruz vermelha pintada nas costas. Imediatamente odiei aquela cruz vermelha no meu vestido. Usá-lo não me parecia um privilégio. Eu sabia que, tal como a estrela amarela que eles forçavam os judeus a usar nos guetos, os nazistas estavam adotando aquela cruz vermelha para nos marcar, para que não pudéssemos escapar.

Foi bem ali e naquele momento que eu decidi não fazer nada que os guardas me pedissem para fazer. Eu lhes daria o máximo de trabalho possível. No centro de processamento, o braço dos prisioneiros estava sendo tatuado. Nós vimos quando era dito a eles, um após o outro, que dessem o braço, e então tinham o braço segurado enquanto um instrumento cauterizava números em sua carne, produzindo uma dor aguda.

Comigo não. Eu não seria mais uma ovelhinha. Quando chegou a minha vez, eu lutei e chutei. O guarda da SS pegou o meu braço. A sensação de sua pegada torcendo a minha pele quase desfez minha resolução.

— Eu quero a minha mãe! — gritei.

— Fique quieta! — ordenou o guarda.

Eu mordi seu braço.

— Traga a minha mãe de volta!

— Vamos deixar você vê-la amanhã.

Eu sabia que ele estava mentindo. Eles tinham acabado de nos separar de mamãe, por que nos reuniriam no dia seguinte? Quatro pessoas tiveram de me segurar enquanto eles aqueciam a ponta daquele dispositivo semelhante a uma caneta sobre uma chama aberta e o mergulhavam numa tinta azul. Então eles seguraram a ponta quente contra a minha carne e começaram a queimar o meu número na parte mais exterior do meu braço esquerdo: A-7063.

Auschwitz

Dentro do campo

— Pare! — berrei. — Isso dói!

Eu me contorcia e me debatia tanto que eles não conseguiram me manter completamente parada. Por causa dessa minha luta, os números no meu braço ficaram borrados.

Em seguida, tatuaram Miriam. Ela não lutou como eu. Seu número foi o A-7064. Toda a escrita em seu braço ficou clara.

Estávamos com o braço dolorido e inchado quando caminhamos pelo campo em direção a nosso barracão, onde íamos morar. Pelo caminho, vi grupos de pessoas que pareciam esqueletos, acompanhados pelos guardas da SS com cães enormes. Os prisioneiros voltavam do trabalho. Que tipo de trabalho estariam realizando para ficarem tão esquálidos? Estariam doentes? Não recebiam comida suficiente? Tudo à minha volta fedia com aquele horrível e denso cheiro de pena queimada, e tudo parecia escuro, cinzento e sem vida. Ameaçador. Não me lembro de qualquer grama, árvore ou flor em parte alguma.

Finalmente, chegamos a nosso barracão no Campo II B, o campo das garotas em Birkenau, também referido como Auschwitz II. A edificação era um celeiro construído originalmente para cavalos. Estava uma imundície. O fedor era pior do que o mau cheiro lá de fora. Não havia janelas para luz ou ventilação na parte mais baixa das paredes, apenas numa altura que ficava acima da cabeça, e isso tornava o local sufocante. Uma dupla fileira de tijolos formando um banco perpassava o meio do barracão. Ao final, havia uma latrina com três furos, outro privilégio para os gêmeos; não precisávamos acessar a grande latrina pública para ir ao banheiro. Havia ali algumas centenas de gêmeos com idades que iam dos dois aos dezesseis anos. Avistamos as filhas da sra. Csengeri mais uma vez, mas não falamos com elas naquele momento.

Naquela primeira noite, duas gêmeas húngaras, que estavam ali havia já algum tempo, mostraram-nos os beliches de três níveis. Miriam e eu ficaríamos no catre de baixo.

Quando chegou a refeição da noite, todas as outras crianças correram para a porta de entrada. O jantar consistia numa fatia de pão preto de uns seis centímetros e num líquido amarronzado a que todos chamavam de "café de mentira". Miriam e eu nos entreolhamos.

— Não podemos comer isso — falei para uma das gêmeas húngaras.

— Isso é tudo o que você vai ter até amanhã — respondeu ela. — Melhor comer.

— Não é kosher — afirmei. Em casa, na fazenda, só comíamos comida kosher, alimentos que satisfaziam às exigências da lei dietética judaica, que papai abençoava antes de cada refeição.

As irmãs riram para nós, mas não era o tipo de riso gentil, e sim mais uma risada do tipo garota-como-você-pode-ser-tão-estúpida. E comeram ávida e rapidamente o pão que Miriam e eu lhes oferecemos.

— Ainda bem que tivemos esse pão extra — disseram elas —, mas se quiserem sobreviver, vocês duas vão ter de aprender a comer de tudo. Não podem ser exigentes nem ficar se preocupando com algo ser kosher ou não.

Após a refeição, as gêmeas húngaras e algumas outras garotas nos puseram a par.

— Vocês estão em Birkenau — disseram. — É parte de Auschwitz, mas fica a três quilômetros do campo principal. Auschwitz tem uma câmara de gás e um crematório.

— Não estou entendendo — disse Miriam.

— O que é uma câmara de gás? O que é um crematório? — perguntei.

— Venham, vamos mostrar a vocês.

As gêmeas nos levaram para o fundo do barracão, perto da porta, onde a supervisora do barracão não podia nos ver. Olhamos para o céu. Labaredas subiam pelas chaminés que se alçavam sobre Birkenau. A fumaça cobria todo o campo, e uma cinza fina adensava o ar, tornando o céu escuro como se houvesse um vulcão em erupção — era assim tão espesso. De novo, fomos atingidas por aquele cheio terrível.

Muito embora tivesse medo de perguntar, eu me ouvi dizendo:

— O que estão queimando tão tarde da noite?

— Pessoas — disse uma garota.

— Não se pode queimar pessoas! — falei. — Não seja ridícula.

— Os nazis queimam. Eles querem queimar todos os judeus.

Uma terceira complementou:

— Vocês viram como os nazis dividiam as pessoas em dois grupos na chegada dos trens hoje de manhã? Eles devem estar queimando um dos grupos bem agora. Se os nazis acham que você é jovem e forte o bastante para trabalhar, eles permitem que você viva. O restante é levado às câmaras de gás e intoxicado até a morte.

Pensei em mamãe, que estava tão fraca após sua longa enfermidade.

Pensei em papai, apertando seu livro de preces.

Pensei em nossas duas irmãs mais velhas.

Lá no fundo, eu sabia, sem que ninguém tivesse me contado, que eles tinham sido impelidos para a linha que levava à câmara de gás. Na direção contrária à desse sentimento, eu me permiti ter a esperança de que talvez ainda estivessem vivos. Afinal de contas, eles eram mais velhos e mais espertos do que Miriam e eu.

— Somos crianças — falei. — Não podemos trabalhar, mas ainda estamos vivas.

— Por enquanto — replicou uma gêmea. — E é só porque somos gêmeas, e eles nos usam em experimentos conduzidos pelo Dr. Mengele. Ele vai estar aqui amanhã, logo após a chamada.

Numa voz estremecida, perguntei:

— Que experimentos?

E Lea, uma gêmea de doze anos, disse que parássemos de nos preocupar e fôssemos para a cama.

As crianças dormiram de roupa e sapato, e assim também fizemos Miriam e eu. Nos deitamos em nosso catre de madeira com um travesseiro de palha em nossos vestidos idênticos. Embora eu estivesse cansada, não conseguia dormir. Agitada e me virando de um lado para o outro, percebi algo se movendo pelo chão.

— Há ratos aqui! — o grito saiu de dentro de mim sem que eu pudesse me conter.

— Quieta! — alguém falou. — Não são ratos, são ratazanas. Não vão machucar você, a não ser que esteja com comida na cama. Agora durma.

Eu tinha visto ratos antes em nossa fazenda, mas não eram enormes como aquelas ratazanas; aqueles roedores eram do tamanho de pequenos gatos.

Eu precisei usar a latrina, e Miriam também. Na escuridão, pusemos os pés no chão, lenta e cuidadosamente, por causa das ratazanas. Chutamos para trás e para frente a fim de afugentá-las. Então fomos depressa até o final do barracão. A latrina tinha entre três e quatro metros quadrados, com paredes de madeira escura e um piso de cimento. As latrinas não eram como banheiros de hoje em dia; elas tinham pisos com buracos, nos quais você tinha de se empoleirar. Elas eram ainda piores que o restante do barracão. Vômitos e fezes humanas que não haviam acertado os buracos estavam por toda a parte. O cheiro era hediondo.

Entramos no recinto, e eu gelei. Ali no chão, na sujeira, havia os corpos mortos de três crianças nuas. Eu jamais vira uma pessoa morta até então. E ali jaziam elas, naquele piso duro, frio e fétido... mortas. Bem naquele instante, percebi que a morte poderia acontecer comigo e com Miriam. Em silêncio, jurei fazer tudo o que estivesse em meu poder para garantir que ela e eu não terminássemos mortas como aquelas crianças.

Ficaríamos mais fortes, mais espertas, *custasse o que custar*, para não terminar daquele jeito.

Daquele momento em diante, havia dito a mim mesma que sairíamos daquele campo vivas. E não mais permiti que temores ou dúvidas dominassem meus pensamentos. Tão logo entrassem na minha mente, eu os expeliria com vigor. A partir do momento em que deixei a latrina, concentrei todo o meu ser numa única coisa: como sobreviver um dia a mais naquele lugar horrível.

CAPÍTULO 4

Pela manhã, um apito soou. Ainda estava escuro.

— De pé! De pé! — gritou a supervisora do barracão, uma *Pflegerin*, ou enfermeira, que tomava conta de nós. Ela vestia um jaleco branco. — Fiquem prontas! — berrou.

Miriam e eu ainda não conhecíamos a rotina. De mãos dadas, observamos as garotas mais velhas ajudando a preparar as pequenas para a chamada. Lá fora nos enfileiramos em linhas de cinco para sermos contadas. A chamada durava de meia a uma hora. Olhando para trás, não me lembro de uma única criança sentada ou chorando. Nem mesmo as de dois anos. Creio que instintivamente compreendíamos que nossas vidas dependiam de cooperação.

Após a chamada, entramos para arrumar o barracão. As três crianças mortas que Miriam e eu havíamos visto na latrina na noite anterior não estavam mais no chão. Viemos a saber que quando uma criança morria, as outras crianças, que dormiam por perto, sem conseguir suportar ficar ao lado de um corpo morto, removiam o cadáver para a latrina e ficavam com suas roupas.

Mas as adultas tinham posto aqueles três corpos mortos de volta em seus catres, para que fossem contados. Todos os dias, cada criança tinha de ser contada, viva ou morta. O Dr. Mengele sabia quantos gêmeos ele tinha, e nenhum cadáver poderia ser eliminado sem que se seguisse um procedimento.

Naquela primeira manhã, uma guarda da SS esperava diante do barracão.

— O doutor MENGELE está VINDO! — anunciou.

As supervisoras pareciam nervosas, agitadas por antecipação à vinda do grande homem. Miriam e eu ficamos de pé, atentas, sem ousarmos nos mover ou respirar.

O Dr. Josef Mengele adentrou o barracão. Estava elegante com um uniforme da SS e reluzentes botas de hipismo com canos altos. Usava luvas brancas e carregava um bastão. Minha primeira impressão foi a de quão bonito ele era, como um astro de cinema. Andava a passos largos pelo barracão, contando os gêmeos em cada catre, acompanhado de um séquito de oito pessoas. Mais tarde viemos a saber que o grupo incluía uma certa dra. König, uma garota que servia de intérprete, e diversos guardas da SS e assistentes. Mengele jamais era acompanhado por menos de oito pessoas em seu séquito naquelas verificações nos barracões.

Quando o Dr. Mengele parou junto dos catres que continham os três corpos mortos, ele ficou fora de si.

— Como foi que vocês deixaram essas crianças morrerem? — gritou para a enfermeira e para as guardas da SS. — Não posso me dar ao luxo de perder nem uma criança!

Nossa enfermeira e as supervisoras tremeram.

Ele continuou a contar até que chegou em mim e em Miriam. Parou e nos olhou. Fiquei petrificada. Então avançou. As outras crianças relataram que ele havia estado na plataforma de seleção no dia anterior, quando chegamos. Era ele quem fazia a seleção de prisioneiros com um toque de seu bastão. Para a direita significava a câmara de gás; para a esquerda, o campo de trabalho forçado.

Depois que Mengele deixou o barracão, recebemos as nossas rações de alimentação da manhã. Miriam e eu tomamos o café de mentira, apesar de seu gosto horrível. Mas o mais importante era que ele era feito com água fervida, e nós logo ficamos sabendo que isso significava que era seguro e não nos daria disenteria — a diarreia sem fim.

Em grupos de cinco, caminhamos de Birkenau até os laboratórios em Auschwitz. Entramos num grande edifício de tijolos, com dois pavimentos. Miriam e eu fomos forçadas a tirar nossos vestidos, roupas de baixo e sapatos. Havia tanto meninos quanto meninas: de vinte a trinta pares de gêmeos. No início, fiquei chocada ante aquela visão.

Descobri mais tarde que os garotos gêmeos ficavam num barracão separado em condições melhores do que as nossas. Eram cuidados por um jovem prisioneiro judeu que tinha sido oficial do exército tcheco, chamado Zvi Spiegel, a quem Mengele havia escolhido para supervisioná-los. Zvi intervinha para ajudar os garotinhos gêmeos, convencendo Mengele a lhes dar melhor comida e a melhorar suas condições de vida; Mengele deve ter imaginado que tudo isso faria deles cobaias melhores. Desse modo, Zvi, que também era conhecido como "Papai dos Gêmeos", confortava os garotos, passava-lhes jogos para que mantivessem a mente ativa e lhes ensinava algo de geografia e matemática. Durante o dia, ele os deixava dar chutes numa bola feita com um feixe de trapos a fim de mantê-los em melhor condição física. Também os punha para memorizar os nomes uns dos outros, e com isso os fazia se sentirem humanos.

Nós não tínhamos uma pessoa assim em nosso barracão para nos conduzir e nos ajudar a fazer amizades. Eu jamais fui até outra garota perguntar o nome dela ou dizer o meu. Éramos todas solitárias, apenas gêmeas com números, cada uma de nós tentando sobreviver. A única pessoa que eu tinha para contar era Miriam.

Naquele edifício de tijolos, à medida que eu olhava em volta, percebia alguns gêmeos fraternos, mas em sua maioria eram gêmeos idênticos como Miriam e eu. Mais tarde, fiquei sabendo que o Dr. Mengele queria descobrir o segredo dos gêmeos. Um objetivo de seus experimentos era aprender a criar bebês louros de olhos azuis em números múltiplos para aumentar a população da Alemanha. Hitler chamava de arianos os alemães loiros, de olhos azuis e pele clara, a "raça superior" — e nós éramos suas cobaias humanas. A fim de estudar outras "anomalias" naturais e tentar descobrir como evitar mutações genéticas, os objetos de pesquisa de Mengele incluíam anões, pessoas com deficiências e o povo romani (ciganos). Os anões viviam em barracões próximos ao nosso, e por vezes os víamos caminhando pelo campo.

Todas nós tínhamos de ficar sentadas em bancos completamente nuas. Os garotos ficavam lá também. Fazia muito frio. Não tínhamos lugar para nos esconder. Era constrangedor ficar sem roupa nenhuma. Algumas meninas cruzavam as pernas e se cobriam com as mãos. Outras tremiam de medo enquanto os guardas da SS apontavam para nós e riam. Para mim, a nudez era o aspecto mais desumanizador que havia no campo.

Em sua atividade de supervisão, o Dr. Mengele aparecia e saía. Em seus jalecos brancos, outros médicos e enfermeiros, que estavam detidos ou eram prisioneiros como nós, observavam-nos e tomavam nota.

Em primeiro lugar, mediam minha cabeça com um instrumento chamado calibrador, feito com duas peças de metal, que eles pressionavam contra o meu crânio e comprimiam. O médico passava os números para um assistente, que os anotava num arquivo.

Mediam os lóbulos de nossas orelhas; o dorso de nosso nariz; o tamanho de nossos lábios; a amplitude, o tamanho e a cor de nossos olhos. Comparavam o tom de azul dos olhos de Miriam e o azul dos meus olhos com base numa cartela de cores de olhos. Mediam e mediam, mais e mais. Passavam três ou quatro horas em cada orelha. A cada vez que os médicos me mediam, mediam também Miriam para ver o quanto éramos idênticas e o quanto éramos diferentes. Um fotógrafo fazia fotos; um artista desenhava esboços. Técnicos tiravam raios-X, cinco ou seis radiografias por vez.

Em seguida, eles nos faziam perguntas e davam comandos. Um prisioneiro que falava húngaro e alemão atuava como tradutor. Se eu fizesse alguma coisa, Miriam fazia igual.

— Cada vez que eu sigo você — sussurrou ela —, eles tomam nota. Querem ver qual de nós é a líder.

É claro que era eu, como sempre tinha sido. Após nos observar no dia anterior, no centro de processamento, quando eu resisti a ser tatuada, eles também ficaram sabendo que eu era uma encrenqueira.

Ficávamos lá sentadas por seis a oito horas. E eu odiava cada segundo. Finalmente, era permitido que nos vestíssemos e marchássemos de volta a nosso barracão para a refeição da noite: uma porção exígua daquele mesmo pão preto, que media entre quatro e cinco centímetros.

À tarde, nossa enfermeira supervisora nos ensinava uma canção em alemão. Era "eu sou uma alemãzinha, blá-blá-blá!". Ela nos punha num círculo e fazia uma garota ficar no centro. Tínhamos todas de andar em volta da garota e cantar: "Blá-blá-blá-blá!".

— Judias sujas, imundas! — a enfermeira gritava conosco. — Porcas!

Ela adorava aquela canção, que dizia que nós, crianças, éramos repugnantes. Odiávamos aquela enfermeira. Pelas costas a chamávamos de "Cobra". Ela tinha coxas grossas e um cabelo comprido e escuro, que usava em uma trança. A Cobra ficava nos insultando.

— Quem vocês pensam que são? — perguntava.

Nós não respondíamos. Tampouco ela esperava uma resposta.

— Pensam que são espertas porque ainda estão vivas? — perguntava a Cobra. — Pois estarão mortas muito em breve. Vamos matar todas vocês.

No primeiro ou segundo dia, Miriam e eu só chorávamos. Mas logo percebemos que chorar não ia ajudar em coisa alguma. Durante a maior parte do tempo, sentíamo-nos entorpecidas.

Mantermo-nos vivas era a coisa mais importante. Sabíamos que estávamos vivas por causa dos experimentos. Por causa de um afortunado acidente da natureza.

Porque éramos as gêmeas de Mengele.

CAPÍTULO 5

Estar em Auschwitz era como estar num acidente de carro todos os dias. Todos os dias acontecia algo terrível.

Em duas semanas, Miriam e eu tivemos nossas cabeças raspadas. A exemplo de todas as gêmeas em nosso barracão, ficamos infestadas com piolhos na cabeça. Como vim a saber, os piolhos depositam seus ovos no cabelo humano. E também podem ir de uma cabeça para a outra. O único meio de se livrar deles era usar um xampu especial ou tratamento químico e pentear os fios todos os dias com um pente fino. Como não tínhamos nenhuma dessas coisas, os piolhos se multiplicaram e passaram de uma pessoa para a outra, pelas roupas e roupas de cama — estavam em toda parte. Piolhos e pulgas faziam ninhos em nossos cobertores, travesseiros de palha e vestidos. Ficávamos a todo tempo nos coçando. E mesmo com nossos cabelos tosados, ainda tínhamos piolhos! Miriam e eu ficávamos constantemente catando piolhos uma da outra, tentando matá-los, espremendo-os com as unhas.

Uma vez por semana, gêmeos tinham o privilégio de tomar uma ducha. Cada uma de nós recebia um pedaço de sabonete. Na enorme sala das duchas, tirávamos nossas roupas e as deixávamos numa pilha para que fossem desinfectadas. Mais tarde, fiquei sabendo que o produto químico usado para desinfectar as roupas, o Zyklon B, era um dos três produtos químicos usados para matar pessoas nas câmaras de gás em Auschwitz. Os nazistas combinavam o Zyklon B, que vinha em granulados azul-acinzentados, com cianeto de hidrogênio e diatomita para formar o composto químico destinado ao extermínio em massa nas câmaras de gás. O gás, misturado com carne e ossos queimados, produzia aquele mau cheiro que eu havia sentido no primeiro dia. Não era um odor que um ser humano pudesse esquecer.

Miriam e eu ficávamos próximas uma da outra. Estávamos sempre próximas. Antes de tomar banho, tivemos de entrar numa banheira com um líquido esbranquiçado. Ele queimou minhas pernas e produziu manchas vermelhas. Às vezes, os supervisores limpavam nossa cabeça e o corpo, o desinfetante me irritava os olhos. Quarenta ou cinquenta gêmeas ficavam nas duchas ao mesmo tempo. O Dr. Mengele nos queria limpas e vez ou outra punha seus assistentes para tentar limpar nosso barracão. Ainda assim, a imundície e os piolhos do campo sempre retornavam, e lidávamos com isso como podíamos.

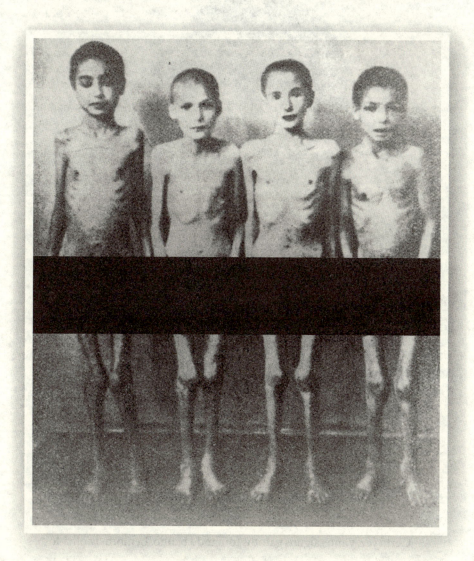
Gêmeos em um dos laboratórios de Auschwitz

Josef Mengele

Certa vez, vimos alguns garotos tomando banho. Lembro de olhá-los e pensar: *Estão tão magros. Ainda bem que eu não estou assim*. Na verdade, eu devia *estar* me parecendo com eles. Miriam também. Os olhos dela estavam fundos, e eu seria capaz de contar cada osso em seu corpo. Mas eu não me sentia magra e patética. Precisava ver a mim mesma como forte.

O Dr. Mengele estabeleceu uma rotina para seguirmos. Em três dias por semana, éramos forçadas a ir até os laboratórios em Auschwitz para estudos intensivos que nos deixavam exaustas. Nos outros três dias, ficávamos nos laboratórios de sangue em Birkenau. Um dia se fundia ao dia seguinte. A cada manhã, após a chamada, Mengele ia a nosso barracão para uma inspeção. Sorrindo, chamava-nos de *meine Kinder*, minhas crianças. Algumas das gêmeas gostavam dele e o chamavam de tio Mengele. Eu, não. Ele me deixava aterrorizada. Mesmo naqueles dias, eu sabia que ele não cuidava de nós como um médico de verdade.

Às terças, quintas e sábados, íamos ao laboratório de sangue. Miriam e eu nos sentávamos num banco com outros pares de gêmeas. Alguém amarrava a parte superior de nossos braços esquerdo e direito com canos finos e flexíveis de borracha. Duas pessoas trabalhavam em mim ao mesmo tempo. Um médico introduzia uma agulha no meu braço esquerdo para tirar sangue. Retirava o equivalente a um frasco e então injetava de novo. Eu podia ver mãos levando embora frascos de um vermelho vivo, de meu sangue. Recordo-me de me perguntar: *Quanto de sangue posso perder e ainda assim continuar vivendo?* Enquanto isso, outro médico me dava uma injeção de alguma coisa em meu braço direito. Injetou em mim cinco agulhas sem remover a primeira. O que ele estaria inserindo no que restou do meu sangue?

Eu odiava aquelas injeções. Mas me recusava a chorar de dor, porque não queria que os nazistas soubessem que estavam me machucando. Lidava com aquilo virando a cara e contando os golpes de injeção até que tudo tivesse terminado.

Em nosso caminho de volta para o barracão, Miriam e eu não falávamos sobre as injeções. Eu as tomava como o preço a pagar por sobreviver. Dávamos a eles nosso sangue, nossos corpos, nosso orgulho, nossa dignidade, e, em troca, eles nos deixavam viver mais um dia. Não consigo me lembrar de um único par de gêmeos que não tenha cooperado.

PAŃSTWOWE MUZEUM
32-603 Oświęcim 5

Der Lagerarzt des   . 10. AUG. 1944   Birkenau, 8. August 1944
KL Auschwitz II.
(Frauenlager)

An das
Hygiene-Institut der Waffen-SS u.Polizei,
A u s c h w i t z .

Anbei wird Blutmaterial zur Untersuchung auf
Rest N, Na Cl.,Takata-Ara, Vitamin C eingesandt:

1.H.Nr.A 5131   Malek Judith
2.   "   80912   Kohnstein Emilie.
3.   "   A 7736   Malek Salomon.
4.   "   A 5771   Molnar Maria
5.   "   A 6035   Moskowicz Helena
6.   "   A 3626   Weiss Olga
7.   "   A 7063   Mozes Eva
8.   "   A 7259   Neuschloss Judith
9.   "   80913   Kohnstein Gisela.

Der Lagerarzt des
KL Auschwitz-II.
SS-Untersturmführer

Documento original comprova que amostras do sangue de Eva foram testadas para nitrogênio de ureia, cloreto de sódio, globulina e vitamina C. Há também documentos mostrando testes para sífilis e febre escarlatina.

60

To Whom It May Concern:

I, Werner L. Loewenstein, M.D., a physician educated in Germany, resident of Terre Haute, IN, located in Vigo County, have translated a document from The Camp Physician of The Concentration Camp Auschwitz II.

The Camp Physician   Birkenau, August 8, 1944
Concentration Camp Auschwitz II
(Women Camp)

To The Hygienic Institute of The Army SS and Police,

A u s c h w i t z

Enclosed are blood samples for examination of Urea Nitrogen, Sodium Chloride, Takata-Ara, and Vitamin C.

A list of nine names follows-see attached document.

                          Signed by The Camp Physician
                          Concentration Camp Auschwitz II
                          Mengele (looks like Mengele's signature)
                          SS Sub Storm Leader

I certify that I have translated the above from the attached document, and that this is an accurate and true representation of what is contained therein.

Werner L. Loewenstein

Werner L. Loewenstein

State of Indiana
County of Vigo

Before me, the undersigned, a Notary Public in and for said County and State, this 18th day of April 1985 Werner L. Loewenstein personally appeared and acknowledged the execution of the above translation.

Witness my hand and Notarial Seal

Margaret Louise Hassell

Resident of Vigo County   My Commission Expires
                                      July 13, 1988

Tradução para o inglês do documento da página anterior

Naqueles dias, não sabíamos para o que os experimentos eram feitos ou o que estavam injetando em nós. Mais tarde, viemos a descobrir que o Dr. Mengele inoculava em alguns gêmeos doenças perigosas de propósito, que tinham risco de vida, como a febre escarlatina, e na sequência lhes dava injeções de alguma outra coisa para ver se conseguiam curar a doença. Algumas injeções eram tentativas de mudar a cor dos olhos. Garotas mais velhas, muitos anos depois que nós todos fomos libertados, contaram-nos que Mengele as tinha levado a um laboratório e lhes submetido a uma transfusão de sangue vindo de um garoto, e que haviam também transferido o sangue delas para o corpo de garotos. Ele queria descobrir um meio de transformar meninas em meninos e meninos em meninas. Muitos desses detalhes eu fiquei sabendo quarenta anos mais tarde, como o caso dos garotos gêmeos adolescentes que tiveram suas partes íntimas cortadas, na busca de Mengele por ver se poderia transformá-los em meninas. Um desses garotos morreu na cama bem perto de seu gêmeo, que mais tarde contou: "Eu podia sentir o corpo do meu irmão ficando frio".

Foi dito, à época, que seis pares de gêmeos tinham sido levados ao laboratório e sido mortos lá. Eu jamais testemunhei alguém sendo morto; apenas sabia que alguns dos gêmeos desapareciam. Mas, em algum momento, vim a saber que os rumores estavam certos, que gêmeos estavam morrendo em razão de alguns dos experimentos. Diziam a nós que eles tinham ficado "muito doentes". Então Mengele simplesmente os substituía por conjuntos frescos de gêmeos que haviam acabado de chegar nos trens de transporte. Era assim que mesmo os mais privilegiados prisioneiros em Auschwitz eram vistos. Nem mesmo os favoritos de Mengele eram tratados como humanos. Éramos substituíveis. Descartáveis.

O que não era substituído eram nossos vestidos bonitinhos, idênticos, que de tão desgastados já não podíamos usar. Acabamos recebendo roupas de mulher. Mas as roupas eram tão grandes que Miriam e eu tivemos de amarrar faixas em torno da cintura para segurar os vestidos.

Em sua parte de cima enfiávamos algo que estivéssemos carregando, como um copo de metal ou um pedaço de pão que tínhamos poupado na noite anterior.

Pela manhã, antes da chamada e nos dias em que íamos ao laboratório de sangue, ajudávamos a tomar conta das crianças menores. Fora de nosso barracão tínhamos um quintal cercado onde brincávamos com elas. As garotas mais velhas ensinaram tricô a mim e a Miriam. Arrancávamos pedaços de arame farpado da cerca e batíamos os arames contra uma rocha para achatar as farpas. Levava um bom tempo. Então afiávamos a ponta do arame com algumas pedras para fazer agulhas de tricô. Uma das gêmeas tinha um suéter velho que nós desfizemos, ficando com o fio. Cada garota se revezava tricotando até que o fio do suéter fosse todo consumido. Então a pessoa seguinte desfazia o que tinha sido feito e começava tudo de novo. Não se tratava de chegar a um produto acabado — um gorro, um cachecol ou um par de meias. Tricotar distraía a mente de nossos problemas.

Mas a morte e o perigo nunca estavam distantes. Um dia, quando estávamos do lado de fora do barracão, passou por ali uma carroça de corpos mortos. Corremos para a cerca para ver se reconhecíamos algum dos cadáveres.

Uma garota gritou: "Mamãe! É a minha mãe!", e explodiu em lágrimas. Ela soluçava, sua angústia indo num crescendo até se transformar num pranto enquanto a carroça continuava o seu caminho. Eu senti muito por ela, mas não sabia o que dizer.

Naquele momento, percebi que talvez nossa mãe também tivesse passado numa carroça de corpos; apenas não a tínhamos visto. Todos os dias passavam carroças como aquela. Por vezes continham prisioneiros mortos, por vezes apenas a sua maioria estava morta; em todo o caso, todos iam ser descartados em seu local de sepultamento. Até aquele momento, eu tinha parado de pensar em minha família. Talvez isso se devesse ao pão que comíamos todas as noites, que supostamente continha não apenas serragem, mas um pó chamado brometo, que nos fazia esquecer das memórias de casa, uma espécie de sedativo. O que quer que fosse ou que não fosse, eu não conseguia sentir muito por mim mesma, por Miriam ou por ninguém. Não conseguia pensar em mim mesma como vítima, senão sabia que pereceria. Era simples. Para mim não havia espaço para qualquer pensamento, exceto a sobrevivência. À noite, Miriam e eu nos deitávamos em nosso catre com dois outros pares de gêmeas. Nós nos aninhávamos bem pertinho, mas não conversávamos nem sussurrávamos. Se eu contasse a Miriam sobre a fome que eu sentia ou quão miserável eu estava, isso só deixaria as coisas piores. Na escuridão, eu ouvia um apito, ouvia passar um carro ou uma motocicleta. Ruídos de passos, lamentos, vômitos, latidos e choros interrompiam o silêncio do campo — uma orquestra para acompanhar a disseminada miséria humana.

Vez ou outra, quando nossas supervisoras estavam dormindo, nossa velha amiga do vilarejo vizinho, a sra. Csengeri, entrava de fininho em nosso barracão para ver suas filhas gêmeas. Era uma mulher esperta e perspicaz. Em sua chegada a Auschwitz, conseguira convencer o Dr. Mengele de que poderia ajudá-lo dando-lhe informações sobre suas gêmeas, razão pela qual lhe foi permitido ficar no barracão das mulheres. A sra. Csengeri trazia para as filhas comida, roupa íntima, chapéus, coisas que ela pegava ou "organizava". Na linguagem do campo, "organizar" significava roubar dos nazistas. Eu invejava aquelas garotas por terem uma mãe que ainda estava viva e cuidando delas; Miriam e eu só tínhamos uma à outra.

Eu não conseguia mais pensar em mamãe, papai ou em nossas irmãs mais velhas. Tinha de me preocupar comigo mesma e com Miriam. E sempre tinha de repetir para mim mesma sem parar:

Só mais um dia.

Só mais um experimento.

Só mais uma injeção.

Só, por favor, não nos deixe ficar doentes.

CAPÍTULO 6

Num sábado de julho, fomos ao laboratório e lá injetaram em mim algo que deve ter sido um germe. Deram a injeção apenas em mim, não em minha gêmea. Anos depois, Miriam e eu supusemos que eles devem ter escolhido a mim por terem observado que eu era a mais forte.

Mas, algo para o qual eu não estava preparada, aquela injeção me fez ficar doente. Durante a noite, tive febre alta. Meu coração palpitava. Minha pele queimava de tão seca. Meu corpo tremia tanto que eu não conseguia dormir, apesar do cansaço. Acordei Miriam.

— Est-t-tou m-muito d-d-doente — sussurrei em seu ouvido batendo o queixo.

Ela despertou de imediato e imediatamente preocupada.

— O que vamos fazer agora?

— Eu n-n-n-não sei — disse. — V-v-vamos t-t-tentar esconder e-e f-f-fingir que está t-t-t-tudo bem.

Na segunda-feira pela manhã, quando estávamos do lado de fora para a chamada, eu me sentia muito tonta. Meus braços e pernas estavam cobertos de manchas vermelhas, além de inchados até duas vezes o seu tamanho. Doía tanto que pensei que minha pele fosse explodir. Calafrios me percorriam. O brilho do sol me aquecia um pouco, e eu tentava desesperadamente não tremer para não deixar que as *Pflegerinnen*, ou enfermeiras, percebessem que eu estava doente. Não queria que me levassem à enfermaria. Em duas ocasiões, uma gêmea de nosso barracão tinha adoecido e sido levada para lá. Ela não voltou. A gêmea restante acabou sendo levada e tampouco retornou. Supusemos que as duas gêmeas tinham sido mortas uma vez que uma delas havia adoecido. Eu não podia deixar isso acontecer comigo e com Miriam. Por que ela morreria só porque eu tinha de morrer?

Pouco antes de a chamada começar de verdade, as sirenes de ataque aéreo emitiram uma advertência alta e penetrante: estávamos para ser bombardeados. Com deliciado arrepio, vi os guardas da SS correrem atrás de proteção enquanto um avião com a bandeira americana pintada numa das asas circundava o campo de concentração. Pensei comigo mesma: *Vejam só esses nazistas, os valentões do mundo, correndo feito gatos amedrontados!* Reconheci as estrelas e listras porque a minha tia, irmã de papai, morava em Cleveland, Ohio, e, antes da guerra, enviava-nos cartas com selos que traziam impressa a bandeira americana. Agora o avião voava baixo e fazia um círculo de fumaça amarela sobre todo o campo. Mesmo naqueles dias, sabíamos que o avião não bombardearia dentro do círculo. Mais aviões vieram, e a distância ouvimos bombas explodindo. Os aviões americanos nos deram esperança. Os aviões significavam que ajuda estava vindo. Algum dia, em breve, estaríamos livres e voltaríamos para casa — bastava apenas que vivêssemos o suficiente para isso. Nós, crianças, aplaudíamos; aqueles eram nossos momentos de glória.

Mas em nossa próxima visita ao laboratório, os médicos não se preocuparam em me examinar. Eles chamaram o meu número e mediram a minha temperatura. Eu sabia que estava encrencada. Imediatamente, duas *Pflegerinnen* me puseram em algum tipo de carro ou jipe e me levaram embora. Não pude nem ver Miriam antes de ser levada. Era a primeira vez no campo que estávamos sendo separadas. Estar juntas, contando uma com a outra, tendo outro ser humano por quem realmente se importar, evitava que nos sentíssemos tão solitárias.

As enfermeiras me levaram para a enfermaria: Edifício nº 21, um barracão imundo perto da câmara de gás e das chaminés ardentes. Um fedor pútrido enchia o ar. Beliches de três níveis continham pessoas que estavam meio mortas. Fileira após fileira, formavam um mar de seres humanos morrendo uma morte lenta. Eram todos adultos. À medida que eu passava, estendiam para mim os dedos ossudos:

— Por favor!

— Água! Água!

— Comida! Por favor! Qualquer coisa.

— Ajude-me!

Todos eles pareciam estar chorando, incapazes de se moverem. Era como se houvesse mais mãos estendidas do que poderia haver de pessoas. Lembro-me da leitura sobre o Vale da Morte na Bíblia; a enfermaria se parecia com aquele vale. Era o pior lugar em que eu já havia estado.

Fui posta num quarto com duas outras garotas: Vera e Tamara. Cada uma delas era irmã num par de gêmeas. Elas tinham tido catapora, então não estavam tão doentes. Nosso quarto era pequeno, mas apenas nós três o compartilhávamos — outro privilégio para os gêmeos.

Naquela noite, a hora do jantar passou tão rápido quanto começou. Não recebemos nenhuma ração de comida.

— Por que não estão nos alimentando? — perguntei. — Deveríamos estar recebendo pão.

— Ninguém aqui recebe nada para comer, porque as pessoas são trazidas aqui para morrer ou são levadas daqui para a morte na câmara de gás — disse Vera.

— Eles não querem desperdiçar comida com quem está morrendo — disse Tamara.

Eu não posso morrer, disse para mim mesma. *Eu não vou morrer.*

Naquela noite, eu estava doente demais para sentir fome. Achei difícil dormir sem Miriam junto de mim, aconchegada. Na escuridão, ouvia pessoas se lamuriando e gritando de dor. Seus gritos me cortavam. Eu jamais tinha escutado tantas vozes pranteando, uivando e urrando.

No dia seguinte, veio um caminhão. As pessoas mais doentes foram lançadas em sua carroceria para serem levadas direto para a câmara de gás. Elas gritavam e se debatiam enquanto algumas delas eram atiradas por cima de pessoas que já estavam mortas.

Vou para a câmara de gás?, pensei. A câmara de gás estivera sempre lá, perto do crematório, que arrotava seu fedor de cabelo, ossos e carne humana pelo ar à nossa volta. A câmara de gás era uma possibilidade real para qualquer um de nós naquele campo — mas era mais real para os que estavam na enfermaria. Duas vezes por semana chegavam aqueles caminhões. Anos depois, fiquei sabendo que no momento antes de os corpos serem lançados no crematório, um grupo de trabalhadores arrancava os dentes de ouro e removia toda a joalheria. Os nazistas coletavam uma média de setenta e seis libras de ouro dos corpos todos os dias. Alguém estava ficando rico.

Na manhã seguinte ao dia em que cheguei, Mengele e uma equipe de quatro outros médicos vieram me ver. Eles discutiam o meu caso como se estivessem num hospital regular. Embora falassem em alemão, eu entendia muito do que estavam dizendo. O Dr. Mengele riu e disse a meu respeito com um sorriso afetado:

— Muito ruim. Tão nova e com apenas duas semanas de vida.

Como ele podia saber aquilo?, eu me perguntei. Eles não tinham feito em mim mais nenhum teste após a injeção venenosa. Depois fiquei sabendo que Mengele tinha ciência de com qual doença havia me infectado e de como ela progrediria. Deve ter sido beribéri ou febre maculosa. Em todos esses anos desde então, jamais fiquei sabendo com certeza qual das duas.

Enquanto eu jazia deitada na cama, ouvindo Mengele e os demais médicos, tentei não passar a impressão de que entendia o sentido de suas palavras. Eu disse a mim mesma: *Eu não estou morta. Eu me recuso a morrer. Vou ludibriar esses médicos, provar que o Dr. Mengele estava errado e sair daqui viva.* Acima de tudo, eu sabia que tinha de voltar para Miriam.

Durante aqueles primeiros dias, eu estava com febre alta, mas ninguém me deu alimento algum, remédio ou água. Apenas verificavam a minha temperatura. Eu estava com tanta sede, desesperada por água, minha boca estava tão seca que pensei que logo não conseguiria mais respirar.

Havia uma torneira na extremidade do barracão. Eu me lembro de ter escorregado para fora da cama, ter aberto a porta e rastejado pelo chão até chegar àquela torneira. O cimento áspero raspava a minha pele, esfriando a minha barriga. Eu estendia as mãos para a frente e arrastava o corpo de quatro, serpeando devagar pelo piso coberto de dejetos e baba. Às vezes eu desmaiava e então acordava e me movia pouco a pouco para a frente.

Eu vou me recuperar, ficava repetindo para mim mesma.

Eu tenho de viver. Eu tenho de sobreviver.

A necessidade de alcançar a água me dominava. A coisa mais estranha é que eu não me lembro de ter bebido a água. Devo ter feito isso, pois não haveria outro modo de sobreviver. Não recordo nem mesmo como foi que voltei para o meu beliche no quarto que compartilhava com as outras garotas. Ainda assim, a cada noite durante duas semanas, eu ia me arrastando até aquela torneira.

Depois de minha primeira semana na enfermaria, Miriam descobriu que eu não estava recebendo comida alguma. A sra. Csengeri, nossa velha amiga, havia contado para ela. A sra. Csengeri atuava como mensageira, andando de fininho de barracão em barracão enquanto visitava suas próprias filhas gêmeas. Miriam começou a economizar o seu pão para mim, dando-o para que a sra. Csengeri o entregasse em minhas mãos. Imagine a força de vontade de Miriam, uma garota de dez anos decidida a não comer por uma semana! Pois aquele pedaço de pão diário de minha irmã gêmea ajudou a salvar a minha vida e me deixou mais determinada a me reunir a ela. Após duas semanas, como por um milagre, minha febre começou a ceder! Comecei a me sentir mais forte. Certa noite, acordei e vi a silhueta de minha supervisora de bloco: magra, escura. De vez em quando, ela aparecia em nosso quarto à noite e nos dava comida. "Aqui está um pedaço de pão para você", dizia discretamente pondo-o em minha cama. "Se alguém descobrir, eu vou ser punida." Uma vez ela chegou a dar a Vera, a Tamara e a mim um pedaço de seu bolo de aniversário. Que deleite! Era tão bom, tão doce. Nós o devoramos, lambendo os dedos e depois lambendo o papel que tinha envolvido o bolo. Mesmo em Auschwitz, algumas pessoas eram humanas.

Contudo, quando olho para trás e penso naqueles dias, fico sem saber por que ela não me deu água quando tive tanta sede durante as primeiras duas semanas. Só consigo imaginar que ela economizava seus esforços com aqueles que parecia que iam sobreviver.

Conforme fui ganhando forças, desejei sair daquela enfermaria o mais rápido possível, mas ainda estava febril. O Dr. Mengele e sua equipe vinham duas vezes ao dia checar a minha febre. Para que eu fosse mandada de volta ao barracão das gêmeas, tinha de convencê-los de que minha temperatura estava baixando. Foi então que pensei num plano.

Vera e Tamara me ensinaram a ler o termômetro. Quando a enfermeira, uma colega prisioneira, chegava e posicionava o termômetro debaixo do meu braço, ela me dizia para mantê-lo daquele jeito até voltar. Depois que ela deixava o quarto, eu tirava o termômetro, lia-o e o sacudia um pouco. Então o colocava quase inteiro sob a minha axila, mas deixava de fora a sua extremidade posterior para que não registrasse mudança alguma. A enfermeira voltava, lia a minha temperatura e tomava nota. Eu tinha de ser muito cautelosa e fazer isso pouco a pouco, de modo que Mengele não desconfiasse de minha recuperação. O plano funcionou. Três semanas depois, fui liberada.

Retornei com alegria para a minha irmã. Agora que ficaríamos juntas, eu sabia que iria melhorar. Mas fiquei chocada com a aparência de Miriam. Ela tinha um vazio nos olhos, ficava sentada olhando para o nada. Parecia fraca e sem vida.

— O que há de errado? — perguntei a ela. — O que foi que aconteceu? O que fizeram com você?

— Nada — disse Miriam. — Deixe-me sozinha, Eva. Não consigo falar sobre isso.

Eu sabia que nossa separação tinha afetado Miriam severamente. Ela ficou pensando que eu não retornaria; a ideia de estar completamente só a fez perder as esperanças. Na linguagem do campo, ela tinha se tornado um *Muselmann*, um zumbi, alguém que já não tinha o espírito de lutar pela vida.

Nas duas primeiras semanas em que estive fora, ela não foi levada ao laboratório. Foi mantida em confinamento solitário, sob a guarda de uma SS durante todo o tempo. No início, Miriam não sabia o que estava acontecendo comigo, mas minha gêmea deve ter percebido que eles estavam esperando alguma coisa. Quando não morri, como Mengele esperava, Miriam foi levada ao laboratório e recebeu muitas injeções, que a fizeram ficar doente. As doses atrofiaram o crescimento de seus rins, mantendo-os do tamanho de rins de uma garota de dez anos. Eu jamais descobri a finalidade desse experimento em minha irmã.

Mas fiquei sabendo que Mengele tinha planejado que eu morresse da doença com a qual me infectara. O Dr. Miklós Nyiszli, prisioneiro judeu e patologista, escreveu e publicou um testemunho ocular sobre como Mengele rotineiramente mandava que patologistas realizassem autópsias em gêmeos que haviam morrido num intervalo de horas um do outro, oportunidade única de comparar os efeitos da doença em corpos saudáveis e doentes que, de resto, eram idênticos em quase tudo. Se eu tivesse morrido na enfermaria, teriam corrido com Miriam ao laboratório e a matado com uma dose de clorofórmio no coração.

Autópsias simultâneas teriam sido feitas para comparar meus órgãos doentes com os órgãos saudáveis dela. Se os órgãos despertassem algum interesse científico, o próprio Mengele os teria examinado e enviado para o Instituto Antropológico em Berlim-Dahlem, num pacote assinalado com "Material de guerra — Urgente".

Contudo, eu, uma garota de dez anos, havia triunfado sobre Mengele, sobrevivendo a seu experimento. Agora ajudar minha irmã gêmea a se recobrar dependia de mim. Eu não podia perdê-la. Era simples assim. Como conseguir isso era outra história.

CAPÍTULO 7

Em Auschwitz-Birkenau, nunca sabíamos o que o amanhã poderia trazer. Cada dia trazia desafios para que nós lhes sobrevivêssemos. Miriam estava muito doente, com algo além da incessante diarreia de disenteria. Embora todo mundo, incluindo eu mesma, tivesse disenteria, Miriam havia desistido da vontade de viver. Eu tinha de encontrar algum meio de ajudá-la a melhorar. Parte da razão pela qual ela estava tão doente eram as injeções que recebera enquanto eu estive fora.

O que se dizia pelo campo era que batatas nos fortaleceriam e que curavam a disenteria. Em Auschwitz, as pessoas "organizavam" o que quer que fosse necessário para sobreviver aos nazistas. Os prisioneiros viam o ato de organizar como uma ação vitoriosa. O problema era que eu jamais tinha roubado algo antes em toda a vida, exceto por uma coisa: um copo.

Certa vez, em nosso caminho para as duchas, enquanto marchávamos numa fila de cinco, aproximamo-nos de uma pilha de panelas e frigideiras. Avancei de meu lugar no meio da fila para a sua extremidade. De um salto, peguei um copo e o enfiei dentro da parte fofa de cima de meu vestido, continuando a andar como se nada tivesse acontecido. Se o guarda da SS que nos acompanhava tinha me visto, ele não disse nada.

Havia rumores de que quem quer que fosse pego roubando seria enforcado, assim como os que tentassem escapar. Os nazistas já nos tinham feito assistir a esses enforcamentos antes, dizendo-nos para observá-los com atenção, pois seria isso que nos aconteceria se roubássemos ou tentássemos fugir. Recordo-me de pensar comigo mesma: *Pois é, a vida é tão maravilhosa aqui... Por que raios alguém tentaria escapar?* Resolvi encontrar um meio de pegar algumas batatas para ajudar Miriam a se recuperar. Eu não sabia o que me aconteceria se eu ousasse pegá-las, mas sabia que poderia ser a morte. Uma armação de madeira para enforcar pessoas ficava na frente do Bloco 11. Ainda que isso fosse o que me esperava se eu fosse pega, por Miriam o risco era imperativo. Eu não podia deixar Miriam morrer.

Outras gêmeas em nosso barracão estavam cozinhando batatas durante a noite, então perguntei onde eu poderia conseguir algumas. Elas me disseram que o único lugar era a cozinha, e por isso eu me voluntariei para ser uma transportadora de comida. Isso significava que eu seria uma das duas crianças a carregar a sopa — num enorme recipiente do tamanho de uma lata de lixo de trinta galões — da cozinha, na extremidade do campo, até nosso barracão. Levava vinte minutos para vir de lá andando; voltar arrastando o pesado tacho cheio levaria ainda mais. Da primeira vez que me voluntariei, não fui a escolhida. No dia seguinte, eu me voluntariei de novo e fui selecionada juntamente com outra gêmea para trazer a sopa diária, um líquido aguado que vez ou outra continha um pedaço de batata.

Tão logo entrei na cozinha, avistei uma longa mesa de metal com panelas e frigideiras. Debaixo dela, notei dois sacos de batatas. Por um momento, hesitei. Se eu fosse pega, poderia morrer; mas, se eu não tentasse, Miriam morreria.

Eu me abaixei e espreitei para ver se alguém estaria me observando. Meu coração batia tão forte que eu o sentia em meus canais auditivos, mas alcancei o saco e peguei duas batatas. Alguém me agarrou pela cabeça e me levantou. Era a trabalhadora da cozinha, uma prisioneira gorda com um lenço listrado na cabeça.

— Você não pode fazer isso! — gritou na minha cara.

— Fazer o quê, madame? — Meus olhos estavam grandes de falsa inocência.

— Roubar não é certo. Ponha de volta.

Larguei as batatas de volta no saco. Esperei ser arrastada para a forca imediatamente, mas isso não aconteceu. Quase explodi numa risada de alívio quando percebi que minha única punição seria aquela reprimenda. Havia acabado de aprender que ser uma gêmea de Mengele significava que ninguém ousaria nos machucar deliberadamente enquanto Mengele nos quisesse vivas. Ele precisava de nós para continuar seus experimentos.

Mas eu ainda tive a preocupação de que a trabalhadora da cozinha reportasse minha tentativa de crime à *blokova*, nossa supervisora de bloco, e que isso viesse a impedir que eu carregasse a comida novamente. No dia seguinte, contudo, eu me voluntariei e fui de novo a escolhida.

Dessa vez foi mais fácil organizar batatas sem ser pega. Eu já não estava tão nervosa, pois sabia que o pior que poderia acontecer seria uma reprimenda. Tão logo alcancei os sacos, peguei às pressas três batatas sob a mesa e as escondi no vestido. Dessa vez ninguém viu. Sucesso! Aquela minúscula provisão de batatas era um dos maiores tesouros que eu já havia obtido. Eu mal podia *esperar* até a noite.

Quaisquer atividades secretas, como cozinhar, tinham de ser feitas tarde da noite, depois que a *blokova* e a supervisora assistente tivessem ido para a cama em seus quartinhos na frente do barracão. Uma das gêmeas trouxe alguns poucos pedaços de carvão que ela organizara durante o dia. Tínhamos um forno no final do banco de tijolos que percorria o centro do barracão e fizemos nele um pequeno fogo. Alguém montava guarda junto à porta fechada da *blokova* para o caso de ela acordar. Outras garotas ficavam na entrada do barracão e dariam um sinal batendo os pés caso alguém se aproximasse. Na escuridão, nós nos revezávamos cozinhando.

Usei minha própria panela e cozinhei minhas batatas — com cascas, manchas, sujeira e tudo! Então Miriam e eu tivemos nosso banquete. Comemos as batatas sem sal nem manteiga, mas estavam deliciosas para nós. Encheram-nos de calor e levantaram nosso ânimo. Eu teria dado a Miriam toda a comida, mas estava morrendo de fome e precisava de forças para cuidar de nós duas.

Todos os dias depois disso, eu me voluntariei para carregar o tonel de sopa, embora fosse escolhida talvez apenas uma ou duas vezes por semana. Mas a cada vez eu ficava melhor em organizar. Sempre pegava mais batatas do que o necessário para aquele dia. Como resultado, Miriam e eu tínhamos batatas três vezes na semana, em geral.

Por vezes, a sra. Csengeri entrava de fininho à noite e cozinhava as batatas que havia organizado para as filhas gêmeas. Tão logo uma pessoa terminava de cozinhar, outra ocupava o seu lugar no forno. Formávamos uma pequena brigada e sempre tínhamos pessoas postadas de guarda para garantir que não fôssemos pegas.

Todas conheciam o sistema e as regras. Apesar de estarmos todas pele e ossos, a fome nos lembrava de que ainda estávamos vivas e não tentávamos pegar a comida uma da outra.

As batatas que eu trouxe para Miriam funcionaram como um remédio. Ela ficou mais saudável, mais forte e disposta a lutar pela vida. Posso dizer, e isso não feriria os sentimentos dela, que minha irmã teria morrido se não fosse por mim. E, por sua vez, tomar conta de Miriam também me ajudou a me tornar mais resistente e vigorosa. Porque éramos gêmeas, nós nos agarramos uma à outra. Porque éramos irmãs, dependíamos uma da outra. Porque éramos uma família, não nos deixamos abandonar.

Em Auschwitz, morrer era tão fácil. Sobreviver era um trabalho de período integral.

CAPÍTULO 8

À medida que o verão de 1944 se tornava outono, as coisas começavam a mudar. Mais e mais aviões rugiam sobre nossas cabeças e bombardeavam as sedes e fábricas nazistas. Às vezes, havia dois ou três ataques aéreos por dia. Embora não tivéssemos rádio ou noticiário, percebíamos que os caras bons estavam vindo nos libertar. Eu tinha de manter vivas a mim e a minha irmã gêmea até que eles chegassem. Sua vida era minha missão e responsabilidade. Mas as condições no campo não estavam ficando melhores. De certo modo, estavam piorando.

Durante a noite de 7 de outubro, o som de uma enorme explosão nos acordou. Sirenes tocaram. Cães latiram. O que estaria acontecendo? Mais tarde viemos a saber que judeus do *Sonderkommando* (prisioneiros forçados a incinerar corpos de colegas prisioneiros) haviam se rebelado e explodido o Crematório IV em Birkenau. Tinham usado explosivos contrabandeados para eles por um grupo de garotas judias que trabalhava na fábrica de explosivos nazista. Os homens do *Sonderkommando* tinham decidido que seria melhor cair lutando do que morrer na câmara de gás. E queriam vingar a morte de familiares e amigos.

Circulavam rumores de que, à medida que as forças aliadas — os exércitos americano, britânico e soviético — se aproximavam, os SS matariam todos no campo. Não obstante, o Dr. Mengele continuava com seus experimentos, ainda esperando fazer uma importante descoberta científica.

Naquele momento, não sabíamos que ordens tinham vindo do alto comando nazista para que o Dr. Mengele "liquidasse" o campo cigano, que consistia em mais de dois mil prisioneiros romani, a maioria mulheres e crianças. Embora Mengele tivesse tentado preservar os ciganos para a sua pesquisa, ele seguia ordens. E aqueles prisioneiros foram levados às câmaras de gás para serem mortos e então incinerados.

Miriam, eu e todas as gêmeas de nosso barracão fomos conduzidas de nosso campo para o campo cigano, então vazio. Os presos tinham deixado para trás cobertores e pinturas coloridas nas paredes. Não sabíamos por que os nazistas tinham nos transferido para o campo deles. Ficava próximo de uma câmara de gás e de um crematório, e o que se dizia era que nós seríamos as próximas.

Naquele primeiro dia, ficamos do lado de fora, no frio, para a chamada, com montinhos de neve cobrindo o chão, das cinco da manhã às quatro da tarde. Foi a chamada mais longa pela qual passamos, porque uma prisioneira estava faltando. Os odores do crematório estavam espessos no ar, misturando-se ao frio e à neblina. Meus pés congelaram, assim como os de minha irmã. Jamais viemos a saber para onde a prisioneira havia escapado.

Pelas semanas seguintes, permanecemos no campo cigano, vivendo à sombra do crematório com a ameaça constante de que seríamos mortas. Jamais soubemos por que isso não aconteceu. Talvez tenhamos sido salvas por ordens de Berlim para que parassem com a matança de judeus. Naquele momento, os nazis já deviam saber que estavam perdendo a guerra. Talvez estivessem querendo esconder as evidências de suas atrocidades.

Então, no início de janeiro de 1945, os SS começaram a ordenar que as pessoas saíssem dos barracões e seguissem pelas marchas forçadas.

— *Raus! Raus!* — Para fora! Para fora!, gritavam eles. — Todo mundo para fora! Vamos levar vocês embora para a sua própria proteção.

Ouvimos dizer que milhares de pessoas estavam naquele momento sendo levadas em marcha para os confins da Alemanha.

— Eu não vou deixar o barracão — disse Miriam. — Não vou fazer marcha nenhuma.

Imaginei que, assim como os nazistas não tinham sido particularmente legais conosco quando estavam vencendo a guerra, por certo não seriam melhores agora que a estavam perdendo. Nós ficamos.

Para a minha surpresa, ninguém veio nos pegar. Os nazistas estavam numa pressa tamanha para que todos saíssem que nem se importaram em checar cada barracão. Algumas gêmeas ficaram conosco, incluindo a sra. Csengeri e suas filhas. Naquele momento, eu ainda não sabia que muitas pessoas também tinham optado ficar para trás.

Na manhã seguinte, acordamos e percebemos que havíamos perdido a chamada. Descobrimos que os nazistas tinham ido embora... ou assim parecia. Não vimos nenhum guarda, nenhum SS, nem o Dr. Mengele.

Que alegria e felicidade sentimos! Os nazistas tinham ido embora! Agora estávamos sozinhas. Passei um tempo tentando encontrar comida, água e cobertores para nos manter vivas.

Um dos prisioneiros tinha feito uma abertura no arame farpado, assim podíamos passar de um campo para o outro. Mais duas garotas e eu saímos à cata de coisas, vagando de área para área. Eu estava terrivelmente necessitada de sapatos. Ainda estava usando os de casa desde minha chegada a Auschwitz. As solas estavam abertas e ficavam batendo. Eu as amarrei com cordas, mas ainda assim era difícil caminhar. Os sapatos de Miriam estavam em melhores condições, porque ela ficava no barracão, guardando nossos poucos pertences, enquanto eu saía para organizar.

As garotas e eu chegamos ao lugar em que os nazistas mantinham todas as roupas, sapatos e cobertores que eles haviam tomado dos prisioneiros. Era um enorme edifício que os nazistas chamavam de "Canadá", talvez porque vissem o Canadá como um lugar de abundância. Pilhas de pertences elevavam-se até o teto. Eu esquadrinhava sapato após sapato, após sapato, mas não conseguia achar nenhum que servisse, até que finalmente escolhi um par que era dois números maior que o meu. Preenchi a área dos dedos com alguns trapos e os amarrei com cordas. Pelo menos agora meus pés estavam aquecidos. Peguei alguns casacos e cobertores para nós e os trouxe para o barracão, onde nós os empacotamos.

Uma tarde, fui para a cozinha organizar comida. Duas crianças e alguns adultos que tinham ficado para trás já estavam lá pegando pão.

Segurando quatro ou cinco pães nos braços, ouvi o estranho ruído de um carro. "Se os nazistas se foram, de quem é esse carro que está chegando?", eu me perguntei. Corremos lá fora para ver. Era um jipe, e quatro nazistas portando metralhadoras saltaram dele e começaram a metralhar em todas as direções.

Eu me lembro de ver o cano de uma arma apontado para a minha cabeça, a pouco mais de um metro de mim, e então apaguei.

Quando acordei, pensei que estivesse morta. À minha volta, eu via corpos.

Tudo bem. Então estamos todos mortos, pensei. Aí mexi os braços. Depois mexi as pernas. Toquei a pessoa ao meu lado, mas não houve movimento algum. Seu corpo estava frio. *Aha! Ela* estava morta, mas eu estava viva!

Eu me levantei, agradecida por estar viva. Achei que devia ter um anjo da guarda que me fez desmaiar antes que as balas me atingissem, já que eu não tive tempo de pensar ou fazer qualquer coisa para me salvar.

Corri de volta para o barracão.

— Miriam? — chamei ao irromper para dentro.

Lá estava ela.

— O que aconteceu? — perguntou, seus olhos arregalados de medo.

— Os nazistas voltaram! — falei e acrescentei: — Fico me perguntando por que eles voltaram. Eles quase me mataram! — Contei a ela o que tinha acontecido e quão aterrorizada eu tinha ficado. — Não temos pão. Eu estava com tanto medo, apenas corri para salvar a minha vida.

— Ah, Eva — disse ela —, e se tivessem matado você?

Não falamos mais sobre "e se". Apenas nos abraçamos mais e mais.

Naquela mesma noite, fomos despertadas por fumaça e calor. As chamas vinham do teto. Podíamos sentir o calor abrasador das chamas através das paredes do barracão. Os barracões estavam queimando! Pegamos nossas coisas e corremos para fora. Os nazistas estavam de volta ao campo, já não se escondiam e provavelmente tentavam destruir as evidências de seus crimes.

As chamas avermelharam o céu até onde a vista podia alcançar. Guardas da SS tinham explodido um crematório e o edifício chamado Canadá. Camisas e vestidos do Canadá voaram pelos ares em meio a fagulhas e cinzas. Os aliados estavam atacando, e bombas iluminavam o céu. Era como se o mundo inteiro estivesse em chamas.

Milhares de pessoas surgiram em fileiras e mais fileiras dos barracões. Os mesmos guardas da SS que eu tinha visto da cozinha passaram a nos enfileirar para a marcha.

— Quem não marchar depressa será alvejado! — gritou um guarda. E atirou a esmo no meio da multidão, como advertência.

— Miriam, fique comigo — sussurrei.

Não sabíamos para onde estávamos indo. Segurei sua mão bem forte. Nós nos posicionamos no meio do grupo. Era mais seguro do que ficar na frente ou atrás, onde poderíamos chamar a atenção. Se começassem a atirar, estaríamos cercadas por outras pessoas.

A multidão nos arrastava consigo. Sendo empurradas e sacudidas em meio a toda aquela gente, foi uma luta permanecer no meio. Os SS continuavam a atirar a esmo enquanto nos conduziam. À medida que corpos caíam à nossa volta, nosso medo aumentava. Todas as crianças e pessoas mais velhas que não tinham sido levadas nas primeiras marchas estavam nesta de agora. Mais tarde, ficamos sabendo que oito mil e duzentas pessoas, incluindo nós duas, marcharam de Birkenau naquela noite. Em uma hora, mil e duzentas tinham sido mortas no caminho. Apenas sete mil pessoas chegaram aos barracões.

Forçadas pela onda da multidão, finalmente chegamos aos barracões de Auschwitz. Ainda estava no meio da noite, mas os edifícios de tijolos brilhavam sob as luzes de klieg. Sem saber o que aconteceria em seguida, as pessoas começaram a empurrar com força, fazendo pressão para entrar no edifício de dois andares. Miriam e eu também corremos para aqueles barracões em busca abrigo.

Os guardas da SS inexplicavelmente desapareceram.

De algum modo, não consigo lembrar como foi que aconteceu, mas de algum modo no meio da confusão eu perdi minha irmã gêmea.

— Miriam? — chamei. — Miriam! Miriam! Onde você está?

Girei várias vezes. Ela não estava lá, não estava em parte alguma!

Quando comecei a entrar em pânico, meu coração sacolejava no peito, minha respiração saía de mim em explosões curtas, meu rosto queimava de calor apesar do frio. Meus olhos, disparando de um lado para o outro, enchiam-se com lágrimas de medo.

E se Miriam fosse parar em outro barracão?, pensei.

E se ela fosse transportada para algum lugar?

E se a machucassem?

E se morresse? Quem ficaria sabendo para me contar?

E se eu jamais voltasse a vê-la?

Deixei o edifício de dois andares e passei a meio correr, meio andar, de barracão em barracão, chamando o seu nome.

— Miriam! MI-RI-AM! MI-RI-AM!

Eu perguntava a qualquer um e a todo mundo se tinham visto uma garota que se parecia comigo.

— Seu nome é Miriam — eu lhes dizia —, Miriam Mozes. Por favor, por favor. Você viu uma garota chamada Miriam?

Algumas pessoas solícitas devem ter visto o meu desespero, o meu pânico. Elas me ajudaram fazendo coro, gritando o seu nome: "Miriam Mozes! Miriam Mozes!". Mas não importava aonde eu fosse, não importava para onde olhasse, não importava quão alto gritasse, eu não conseguia encontrá-la.

Depois de um tempo, como Miriam não respondia, as pessoas deixaram de me ajudar na busca.

— Continue procurando — incentivaram-me, com pena nos olhos, sua própria exaustão a tornar amolecidos os seus corpos. — Ela tem de estar aqui em algum lugar.

— Miriam! Miriam! — Eu não ficava nem trinta segundos sem gritar o seu nome.

Enquanto via piedade e preocupação nos olhos de algumas pessoas, outras já não ligavam, não conseguiam se importar. Muitas delas estavam exauridas e já não demonstravam nem um pingo de preocupação com mais ninguém.

— Então, você está procurando a sua irmã? Grande coisa! Eu não tenho mais ninguém.

Eu queria gritar para eles que Miriam era mais do que uma irmã. Ela era o meu outro eu. Nossa sobrevivência dependia uma da outra! Eu não conseguia parar para pensar nessas almas desesperançadas. Eu tinha de encontrá-la. Precisava.

Continuei procurando. "Miriam! Miriam!", eu gritava, minha voz ficando mais rouca, mais fraca. Eu estava cansada e faminta. Mas não me permiti me sentar para descansar. Eu não parava. Aterrorizada, fui de um edifício para outro, incapaz de desistir da minha busca. Um sem-número de pessoas macilentas, o uniforme de prisioneiros afinando seus corpos lastimáveis, bloqueavam minha visão por onde quer que eu olhasse. Parecia haver tantas pessoas ali! E todas pareciam as mesmas para mim, porque não eram Miriam. *O que teria lhe acontecido?* Num rápido instante, afoitas por segurança, acabamos separadas. *O que tínhamos feito?*, eu ficava me perguntando.

Minhas pernas me empurravam para a frente, meus braços bombeavam para que eu continuasse a me mover. Eu não me permitia pensar na fome, nas dores no estômago, na secura que fazia a língua colar no céu da boca. Nada disso importava. "Miriam! Miriam Mozes! Miriam!".

Horas e horas, minutos e minutos, segundos e segundos — todos se empilhando um sobre o outro em meu pânico. Eu havia procurado por vinte e quatro horas. E nada de Miriam! Ela não podia ter simplesmente desaparecido. Eu me recusava a aceitar isso. Onde ela estava?

Eu estava cambaleante, num quase estupor de desespero e exaustão, quando passei por mais uma porta.

— Miriam! Miriam Mozes! Miri...

Tropecei em alguém que tinha mais ou menos a minha altura.

— Desculpe! — Eu estava prestes a passar direto pela pessoa quando me dei conta: era Miriam. — Miriam! MIRIAM! — Eu caí em seus braços. Ela caiu nos meus. — Onde você estava? Eu estava procurando, procurando, procurando você! O que aconteceu?

— Eu estava procurando *você*! — insistiu ela. — O que aconteceu com você?

Nós nos abraçamos e nos beijamos. Envolvendo-nos uma à outra, deslizamos para o chão a fim de descansar, chorando e segurando uma à outra.

— Eva, onde você estava? — ela me perguntou entre lágrimas. — Cometemos um erro tão grande ao correr. Pensei que jamais fosse ver você de novo.

— Não. Eu não conseguia pensar muito nisso. Eu tinha de encontrar você! — insisti. Então admiti a verdade para ela. — Eu estava desesperada.

Afundei em seus braços, sentindo-me como se fosse o Hanukkah[1]. Era um milagre!

Tive ali o mais forte sentimento de alívio e de amor em toda a minha vida. Distanciei-me para olhar o seu rosto descarnado e então pus os braços em torno dela novamente, segurando-a pela cintura.

---

[1] N.T. O Hanukkah (lê-se ranucá) ou Chanuká é uma festividade judaica realizada todos os anos, que celebra a vitória da luz sobre a escuridão e a luta dos judeus contra os seus opressores.

Aquelas vinte e quatro horas de busca por ela pareceram durar a eternidade. Quanto mais eu a abraçava, mais segurança sentia de que jamais seríamos separadas de novo.

— Estou tão feliz de ter encontrado você — disse a ela com o máximo de emoção que pude expressar.

Miriam estendeu a mão.

— Olhe! — disse. Ela trazia um pedaço de chocolate. — Alguém me deu isso enquanto estava procurando você.

Meus olhos se arregalaram. Ela o ofereceu a mim.

Eu o quebrei pela metade, e nós o saboreamos naquele mais doce dos momentos.

— De agora em diante, segure sempre a minha mão — eu disse. — Não solte jamais.

Miriam concordou.

— Sim, jamais vamos ser separadas de novo.

— Este é o nosso barracão da sorte! — falei.

— Então vamos tirar uma soneca por aqui — disse Miriam, afundando contra a parede. — Estou tão cansada.

Com nossas mãos firmemente entrelaçadas e nossos corpos próximos, buscando o conforto, fechamos os olhos exauridos. Não importava o que fosse acontecer em seguida, sabíamos que tínhamos uma à outra.

CAPÍTULO 9

Pelos nove dias seguintes, Miriam e eu estivemos por conta própria, cuidando de nós mesmas como todo mundo estava fazendo. Ficamos em nosso barracão da sorte com outros pares de gêmeas e mulheres adultas. Minha tarefa diária era encontrar comida para mim e Miriam. Os pés dela tinham congelado por ocasião da longa chamada no campo cigano, então ela ficava protegendo nossos cobertores e tigelas enquanto eu saía para organizar com duas outras garotas.

As garotas e eu arrombamos locais de armazenamento e edifícios nazistas em que os SS tinham morado. Por duas vezes, entramos na sede nazista, uma bela casa com uma bela mobília. Até então, eu não sabia que existia um lugar como aquele. Uma vida luxuosa bem no meio de um campo da morte nazista.

Sobre uma mesa, vimos uma comida que parecia incrivelmente boa. Parecia recém-preparada, deliciosa! De fato, ela parecia boa até demais. Eu ficava me perguntando por que os nazistas teriam deixado tanta comida boa para trás. Teria algo de errado com ela? Com fome, peguei um pedaço. Mas pouco antes de comê-lo, parei e coloquei de volta. Mais tarde, conversando com pessoas no campo, elas me disseram que os nazistas tinham propositalmente deixado comida envenenada para que prisioneiros como eu a comessem e morressem.

Outra vez, as garotas e eu encontramos enormes recipientes com chucrute. Nós o comemos e, uma vez que não tínhamos água para beber e que não havia neve no chão para derreter, bebemos o suco do chucrute. Na cozinha, pegamos pão. Para nós foi um banquete.

Dessa vez, estávamos habilidosas em vasculhar algo para comer. Eu havia organizado um lenço, e ele se tornou nossa ferramenta mais preciosa. Num porão, nós nos deparamos com uma enorme pilha de farinha. Estendi meu lenço quadrado e o enchi com um tanto da farinha. De volta ao barracão, misturamos a farinha com algum líquido e assamos um bolo em cima do forno. Era como o pão ázimo que os judeus tinham comido quando, na Bíblia, tiveram de deixar o Egito às pressas, sem tempo de esperar que o pão crescesse. Era o matzá[2] da Páscoa judaica no campo de concentração.

Ainda estávamos com muito pouca comida. Lembro-me de olhar para a minha irmã e pensar: *Ela está um esqueleto. Será que estou assim também?* Sempre que encontrávamos alguma coisa, devorávamos até acabar. Não havia algo como sobras. Na época, não sabíamos que nos empanturrar em nossa condição famélica era perigoso. Algumas das garotas ficaram inchadas, e uma de minhas melhores amigas organizadoras morreu por comer demais.

Certa manhã, outro grupo de gêmeas e eu partimos em direção ao rio Vístula, que não ficava longe do campo. Armadas com algumas garrafas e recipientes, planejamos quebrar o gelo, afundar as garrafas e enchê-las com água fresca.

Quando eu estava na margem do rio, avistei uma garota da minha idade do outro lado. Ela tinha tranças no cabelo e usava um belo vestido limpo e um casaco. Nas costas levava uma mochila, assim soube que ela estava indo para a escola.

Congelei. Não podia acreditar que ainda houvesse um mundo lá fora onde as pessoas estivessem limpas, e as garotas usassem tranças com fitas e vestidos bonitos e fossem para a escola! Antes, eu tinha

---

[2] N.T. Pão ázimo ou pão asmo, pão sem fermento.

sido aquela garota em roupas bonitas com fitas no cabelo a caminho da escola. Até aquele momento, eu tinha pensado que todo mundo estava num campo de concentração como nós. Mas percebi que isso não era verdade.

A garota me encarou. Olhei para mim mesma com roupas esfarrapadas, enxameada de piolhos e com um casaco e sapatos alguns tamanhos maiores. Eu estava faminta e lutando para ter comida e água. Não sei o que ela pensou, mas olhei de novo para ela e pude sentir o fogo da raiva se alastrando em mim. Eu me senti traída. Miriam e eu não tínhamos feito nada de errado! Éramos apenas garotinhas como ela. Por que estávamos naquela situação enquanto ela estava lá, tão bonitinha e limpa, levando uma vida perfeitamente normal? Era tão errado, tão inconcebível para mim. Mas lá estava ela. E ali estava eu.

Depois do que pareceu ser um longo tempo, ela empunhou a mochila de livros e foi embora.

Eu a olhei, observando-a ir embora, então olhei para o espaço vazio onde ela tinha estado. Eu não compreendia. Eu não conseguia compreender.

Então senti um resmungo no estômago, lembrando-me de minha fome e sede. Encontrei um bastão grosso e, com raiva, espetei-o contra a superfície do rio congelado, quebrando-a até que o furo fosse grande o suficiente. Afundei minha garrafa no rio congelado, tombei-a de leve para o lado e vi as bolhas de ar escapando enquanto ela se enchia com a água clara do rio. A imagem da garota havia ficado em minha mente — como ficaram todas as minhas perguntas acerca do mundo lá de fora.

Quando havíamos coletado tanta água quanto nossas garrafas podiam armazenar, as gêmeas e eu voltamos para o campo. Uma vez lá, fizemos um pequeno fogo e fervemos a água para matar todos os germes. Embora viéssemos a empreender a viagem para o rio algumas vezes mais, nunca voltei a ver a garota.

Não podíamos deixar o campo, porque batalhas estavam sendo travadas à nossa volta. Era perigoso sair andando para fora dali. Armas disparavam indiscriminadamente e em seu caminho podiam atingir qualquer um. Estávamos bem no meio de um campo de batalha. Com o barulho e a confusão lá fora, aprendemos a evitar o *ra-ta-ta-ta* das armas de fogo. Se ouvíssemos um certo zumbido de choramingo, tínhamos de correr em busca de cobertura, porque uma bomba estava vindo em nossa direção. Estouros de armas de fogo iluminavam e estalavam dos bunkers onde os SS tinham ido se esconder depois de nos deixarem nos barracões.

Durante aqueles dias, espalharam-se boatos de que todo o campo estava para ser explodido — os barracões, as câmaras de gás e o crematório — a fim de encobrir as evidências de crimes nazistas. Os SS forçaram sessenta mil prisioneiros a empreender uma marcha da morte. Miriam, eu e muitas das gêmeas permanecemos amontoadas em nosso barracão da sorte. Milhares de outros prisioneiros, velhos ou doentes demais para marchar, também permaneceram.

Mais tarde, fiquei sabendo por uma testemunha ocular que, na noite de 18 de janeiro de 1945, deu-se a última visita do Dr. Mengele ao laboratório em que os gêmeos tantas vezes tinham sido medidos, injetados, cortados e submetidos a sangrias. Ele levou duas caixas de papéis contendo registros de aproximadamente três mil gêmeos que ele submetera a experiências em Auschwitz, botou-as num carro que estava à sua espera e partiu para se juntar a um grupo de soldados nazistas em fuga.

Por cerca de nove dias, ouvimos um contínuo ruído de tiros e bombas. O *bum-bum-bum* do fogo da artilharia chacoalhava as janelas de nosso barracão. E corriam conversas de que logo seríamos libertados. Libertação. Miriam e eu não sabíamos o que isso significava. Então só nos escondemos lá dentro e esperamos.

Na manhã de 27 de janeiro, o ruído cessou. Pela primeira vez em semanas, fez-se um completo silêncio. Esperávamos que isso fosse a libertação, mas não tínhamos ideia de como seria. Todo mundo nos barracões apinhou-se às janelas.

Nevava bastante. Até aquele dia, só me lembro do campo sendo cinza — os edifícios, as ruas, as roupas, as pessoas —, tudo sujo e cinza. Na minha mente, um constante manto de fumaça pairava sobre o campo.

Naquele dia, no meio da tarde, cerca de quinze ou dezesseis horas, uma mulher correu para a frente dos barracões e começou a gritar:

— Estamos livres! Estamos livres! Estamos livres!

Livres? O que isso significava?

Todo mundo correu para a porta de entrada. Eu fiquei no degrau de cima, enormes flocos de neve caíam sobre mim. Não conseguia enxergar nada além de uns bem poucos metros à frente. A neve tinha caído durante todo o dia, e o cinza sujo de Auschwitz agora estava coberto por uma camada branca de neve.

— Consegue ver algo chegando? — perguntou uma garota mais velha.

Continuei a espreitar através da neve em redemoinhos.

— Não… — Pisquei.

Então os vi.

A cerca de cinco ou seis metros de mim, em meio à neve, vi soldados soviéticos emergindo, aproximando-se de nós com suas capas e uniformes cobertos de flocos. Eles não falavam nada enquanto se moviam através da neve.

À medida que chegavam mais perto, parecia que estavam sorrindo. Seriam sorrisos cínicos ou verdadeiros? Espiei com atenção. Sim, eram sorrisos. Sorrisos verdadeiros. A alegria e a esperança transbordaram dentro de nós. Estávamos seguros. Estávamos livres!

Chorando e rindo, corremos até os soldados, cercando-os para abraçá-los.

Um grito se alçou da multidão: "Estamos livres! Estamos livres!". Havia risos e prantos de alívio, todos misturados num emaranhado de sons de celebração.

Eles próprios riam, alguns com lágrimas nos olhos sorridentes, os soldados soviéticos nos abraçaram de volta. Deram-nos biscoitos e chocolates — deliciosos!

Era o nosso primeiro gosto de liberdade. E eu percebi que a promessa silenciosa que fizera na primeira noite, na latrina, de sobreviver e sair do campo viva com Miriam ao meu lado, tornava-se uma realidade.

CAPÍTULO 10

ancei os braços em torno do pescoço de um soldado soviético, e ele me pegou. Eu o abracei com Miriam me agarrando de lado. Todo mundo estava a se abraçar, e se beijar, e gritar: "Estamos livres!".

Naquela noite, os soldados continuaram a celebração pelos barracões. Dançavam com as mulheres e compartilhavam vodca com os homens, bebendo direto do gargalo. Todo mundo ria e cantava. Havia música: as pessoas improvisavam tamboretes usando colheres em latas de comida, e alguém tocava um acordeão. Algumas das crianças acompanhavam a dança, saltitando pelo chão, junto dos beliches, junto dos adultos. Eu jamais tinha visto tamanha animação, ainda mais em nosso campo da morte.

Miriam e eu estávamos felizes em nosso beliche, olhando e desfrutando a cena de raro contentamento e alegria. Era uma visão e tanto. A pura alegria humana de estar vivo.

— Estamos livres! — Eu me maravilhava em voz alta, acenando com o tempo da música.

— Sim. Chega das terríveis *Pflegerinnen*!

— Chega de *Heil, Doktor Mengele*!

— Chega de experimentos!

— Chega de injeções!

— Chega de enforcamentos.

— Chega…

Estávamos fazendo um concurso listando tudo de que *não* sentiríamos falta agora que estávamos livres.

— Podemos fazer o que quisermos! — disse Miriam, a satisfação enchendo seu rosto miúdo.

Suas palavras me fizeram parar um pouco. *Podemos fazer o que quisermos.*

Eu observava todo mundo celebrando, mas não via. Ouvia a música e o canto, mas sem os escutar.

Podemos fazer o que quisermos. O que quisermos. Estamos livres.

As memórias de casa encheram-me os olhos. Os sons da fazenda ecoaram em meus ouvidos: o corte da madeira, o cacarejo das galinhas, o mugido das vacas. Os cheiros dos frutos maduros do pomar invadiram-me as narinas. Não tenho ideia de quanto tempo fiquei ali pensando.

Foi Miriam que interrompeu o meu devaneio.

— O que foi, Eva? — Ela sacudiu meu braço. — Eva! O que foi?

Virei o rosto para ela, meus olhos finalmente se ajustando à sua presença.

— Casa — afirmei. — Eu quero ir para casa.

Miriam analisou meu rosto.

— Tudo bem. Estamos livres. Vamos para casa.

Fizemos uma provisão com nossos poucos pertences, enfiando-os debaixo e por cima da roupa. Naquela noite, dormimos descansadas, pois tínhamos um plano. Iríamos para casa o mais rápido possível.

Na tarde seguinte, muitos soviéticos se reuniram à nossa volta. Pediram a mim, a Miriam e a todas as crianças sobreviventes, gêmeos em sua maioria, que vestíssemos o uniforme listrado por cima de nossas roupas. Já que éramos os gêmeos de Mengele, jamais tínhamos vestido aqueles uniformes de Auschwitz. Eu já estava com dois casacos, pois fazia muito frio. Sob nossos casacos e vestidos, Miriam e eu levávamos tudo o que possuíamos: comida, tigelas, cobertores — coisas que víamos como tesouros.

Ficamos bem no primeiro lugar da fila e demos as mãos quando os soviéticos caminharam conosco, saindo dos barracões e passando por entre as altas cercas de arame farpado. Uma enfermeira levando uma criança de colo nos braços caminhava ao nosso lado. Enormes câmeras filmavam e filmavam. Eu olhava para o câmera e me perguntava por que estariam captando a nossa imagem.

Somos estrelas de cinema ou algo parecido?, eu me perguntava. Estava muito impressionada com tudo aquilo. Os únicos filmes de verdade que Miriam e eu tínhamos visto eram os estrelados por Shirley Temple, para os quais mamãe nos levava, na cidade.

Para a minha surpresa, depois que fizemos todo o percurso por entre as cercas, o câmera nos mandou de volta para dentro e nos pediu para marcharmos para fora de novo. Com freiras, enfermeiras e soldados soviéticos nos acompanhando, filas e mais filas de gêmeos entraram de volta nos barracões e então saíram de novo. Repetimos a ação diversas vezes até que o câmera estivesse satisfeito. Anos depois, descobri que ele queria captar a cena como parte de um filme de propaganda, mostrando ao mundo como o exército soviético havia resgatado crianças judias dos fascistas.

As crianças da frente são Eva (à esquerda) e Miriam (à direita)

Até que, enfim, pela última vez, Miriam e eu, de mãos dadas, caminhamos para fora do barracão em idênticos uniformes listrados. Miriam e eu tínhamos sobrevivido a Auschwitz. Estávamos com onze anos de idade.

Agora tínhamos apenas uma questão: como exatamente voltaríamos para casa?

CAPÍTULO 11

Por toda parte à nossa volta, as pessoas estavam se preparando para ir embora. Elas apenas saíam andando para fora do campo. Eu não sabia qual direção tomar. Não sabia onde nos encontrávamos. Naqueles dias, eu não sabia que havia países chamados Polônia e União Soviética. Tendo ido à escola num pequeno vilarejo na Romênia, eu não tinha aprendido nada acerca do resto do mundo.

Pelas duas semanas seguintes, Miriam e eu ficamos em Auschwitz com muitos outros antigos prisioneiros. No começo, não tínhamos o suficiente para comer. Voltei ao porão e enchi o meu lenço com farinha.

— *Nyet! Nyet!* — Não! Não!, gritou um soldado soviético. E soltou um disparo.

Com medo, derramei a farinha e corri para fora, voltando depressa para Miriam. Mais tarde, percebi que o soldado não estava atirando na minha direção como os nazistas fariam. Ele estava tentando me assustar. Os soviéticos tomaram conta do campo e estavam tentando manter a ordem.

Não me lembro de organizar comida nenhuma depois disso. Os soviéticos serviram-nos sopa com feijões, e o gosto estava bom. Quando Miriam e eu começávamos a comer, não conseguíamos parar. Àquela altura, sabíamos que comer demais era ruim para nós, assim Miriam e eu monitorávamos uma à outra. Não queríamos morrer por comer demais, como havia acontecido com outras gêmeas que conhecemos.

Poucas semanas depois, nós finalmente deixamos Auschwitz. A cavalo e de carroça, fomos levadas a um orfanato num mosteiro em Katowice, na Polônia. Mais tarde ficamos sabendo que as providências junto ao orfanato tinham sido tomadas pelos soviéticos, que estavam trabalhando com a Cruz Vermelha e com organizações para refugiados judeus.

Quando chegamos ao mosteiro, fomos levadas a nossos alojamentos. Eu fiquei chocada. Miriam e eu estávamos recebendo nosso próprio quarto, e era um bom quarto. Havia duas camas, lençóis brancos. Lençóis! Fazia quase um ano que eu não via um lençol branco. Eu me senti estranha e fora de lugar. Ninguém se preocupou em nos dar um banho; estávamos imundas e cobertas de piolhos. Não havia como dormir naquela cama limpa e branca.

Por um bom tempo fiquei olhando para aqueles lençóis. Naquela noite, arranquei-os da cama e dormi direto no colchão. Não queria sujar nada. Parecia errado.

As freiras também colocaram brinquedos bonitos em nosso quarto, mas eles me deram raiva. Brinquedos eram para crianças. Eu tinha onze anos, mas já não sabia como brincar. O que eu queria e do que necessitava era afeto e cuidado amoroso. Em Auschwitz, eu havia lutado para manter a mim mesma e a Miriam vivas. Agora eu só queria ir para casa. As freiras não sabiam o que fazer conosco. Consideravam-nos órfãs.

Falei por mim e por Miriam:

— Somos gêmeas. Esta é Miriam, e eu sou Eva Mozes. Nosso pai é Alexander, e nossa mãe é Jaffa. Somos de Portz. — Falamos com elas em húngaro, pois não sabíamos falar polonês; um tradutor então contava a elas o que tínhamos dito. Eram conversas que levavam muito tempo.

— Onde estão seus pais? — perguntaram as freiras.

— Eu não sei.

— Quem tomará conta de vocês?

— Eu não sei. Queremos ir para casa — insistia com elas.

As freiras disseram:

— Crianças não podem ser liberadas se não têm pais.

— Mas nós temos pais — eu disse.

— Onde?

— Tenho de ir para casa para saber se eles retornaram do campo — falei. Agora que estávamos seguras, eu ainda tinha esperança de encontrar mamãe, papai e minhas irmãs.

As freiras disseram que nós não poderíamos ir a não ser que houvesse alguém para tomar conta de nós. Então ali tínhamos de ficar.

Eu não gostava de viver num mosteiro católico. Naquele lugar, cruzes, crucifixos e pinturas da Virgem com o Menino estavam à nossa volta, e achávamos estranho. Eu ansiava por algum lugar mais familiar. Ficava imaginando o que meu pai, sendo um judeu religioso, iria pensar se visse a mim e Miriam num mosteiro. As freiras não tentaram nos converter ou algo do tipo, mas era um lugar muito esquisito para ficarmos.

Garotas mais velhas que tinham sobrevivido a Auschwitz e também estavam ficando no mosteiro nos contaram que poderíamos sair pela cidade de Katowice e andar de bonde sem pagar passagem. Tudo o que tínhamos de fazer era mostrar os números tatuados no braço. Elas nos contaram que não era preciso falar polonês nem dizer coisa alguma. Já que falávamos sobretudo o húngaro, esse era um pequeno alívio.

Então, saímos pela cidade e vimos que o que elas disseram era verdade: podíamos andar de bonde de graça. E foi assim que, mais e mais, Miriam e eu rodamos de bonde de uma ponta à outra da cidade. A simples alegria de estarmos livres, sentindo o vento nos ouvidos e sendo capaz de escolher o que fazer era libertadora para nós.

Também pelas garotas mais velhas, ficamos sabendo que alguns sobreviventes de Auschwitz estavam sendo mantidos num campo para deslocados em Katowice, e isso incluía nossa amiga de casa, a sra. Csengeri, e suas filhas gêmeas. Um dia, pensei num plano que nos fizesse deixar o mosteiro.

— Vamos, Miriam — eu disse. — Vamos ver a sra. Csengeri.

— Por quê? — perguntou Miriam.

— Só venha comigo.

Pegamos um bonde e fomos até o campo. Quando encontramos a sra. Csengeri, fui logo dizendo um monte de coisas.

— A senhora era a amiga da mamãe — falei. — Não queremos ficar no mosteiro, mas elas não vão nos deixar sair porque não podemos encontrar nossos pais.

— Sim, eu sei — respondeu ela. — Mas por que vocês estão me contando tudo isso?

Fiz uma pausa e então desembuchei:

— A senhora poderia assinar um documento dizendo que é nossa tia e nos levar para que possamos ir para casa?

Num primeiro momento, a sra. Csengeri não disse nada. Até que finalmente ela falou:

— Tudo bem, eu vou ao mosteiro com vocês e assino os documentos. — Fez uma pausa e então acrescentou: — E depois vou levar vocês para casa comigo.

Eu fiquei exultante.

Em março de 1945, Miriam e eu nos mudamos para o campo com a sra. Csengeri e suas filhas. Vivíamos num quarto, num barracão, e o compartilhávamos com uma senhora, a sra. Goldenthal, e seus três filhos.

Os filhos gêmeos da sra. Goldenthal, Alex e Erno, eram da nossa idade, e eu fiquei sabendo que eles tinham sido selecionados em Auschwitz para os experimentos de Mengele como nós. A sra. Goldenthal permanecera com eles, e mais tarde fiquei sabendo que ela tinha escondido uma filha menor, Margarita, debaixo de sua longa saia. Ela tinha chegado no campo com a criança escondida no vestido e, durante toda a estada lá, mesmo no barracão nazista, onde ela havia mantido Margarita sob os colchões durante as inspeções, as outras mulheres a tinham ajudado a ocultar a criança.

Agora a sra. Goldenthal e a sra. Csengeri estavam cuidando de todos nós. Elas nos deram banho e ferveram nossas roupas. Livraram-nos dos piolhos. A sra. Csengeri costurou vestidos para mim e para Miriam a partir de grandes túnicas cáqui soviéticas. Usar aquele vestido fez com que eu me sentisse como uma garotinha novamente. Ela chegava até a preparar comida especial para nós. Miriam e eu nos sentíamos quase como uma família de novo, sendo cuidadas por adultos, do jeito que costumava ser.

Os soldados soviéticos a cargo do campo nos davam pão e meio rublo toda semana para gastar com o que nós quiséssemos. Por vezes, Miriam e eu íamos ao mercado ao ar livre da cidade comprar uma maçã. Costumávamos receber uma comida simples que sustentava, como pão, batata, sopa e carne. Uma maçã era um luxo com o qual ficávamos entusiasmadas.

Certa manhã, após um mês e meio, a sra. Csengeri me acordou de um sono profundo.

— Arrumem suas coisas todas — disse ela —, porque vamos nos mudar.

Nós juntamos todas as nossas coisas. Miriam e eu, de mãos dadas em nossos vestidos cáqui idênticos, embarcamos num trem com um pequeno grupo. Eu não tinha ideia de para onde estávamos indo, mas sabia para onde queríamos ir. Tudo o que eu queria era encontrar meus pais ou alguém da minha família de verdade. Tudo o que eu queria era ir para casa.

CAPÍTULO 12

Soldados soviéticos assumiam o comando quando Miriam e eu começamos a viagem com a sra. Csengeri, a sra. Goldenthal e seus filhos. Embora estivéssemos num vagão de gado, era muito diferente de nossa viagem para Auschwitz. O trem não estava cheio e havia beliches embutidos com colchonetes confortáveis. Nós adorávamos nos sentar na cama de cima e olhar pelas janelas, que desta vez não estavam cobertas com arame farpado. À noite, tínhamos tantos cobertores quanto quiséssemos. Miriam e eu nos aninhávamos. Ainda não falávamos sobre como nos sentíamos ou sobre o que estava se passando. Apenas nos aconchegávamos.

Durante o dia, as portas dos vagões ficavam abertas. Com frequência, Miriam e eu nos sentávamos da porta para fora com as pernas balançando. O trem pesado se movia pelos trilhos tão devagar que quase era possível acompanhá-lo correndo a seu lado. O vento varria nosso rosto, e o ar fresco era maravilhoso. Gostávamos de ver os campos e as encostas, que se descortinavam um após o outro. Era primavera. Flores brotavam, pássaros gorjeavam.

Já não estávamos em perigo. Estávamos livres.

Por vezes o trem parava por cinco ou seis horas. Descíamos, e a sra. Csengeri dispunha dois tijolos, fazia um pequeno fogo e cozinhava algo numa panela. Os soviéticos nos davam pão e rações, mas nós também trazíamos alguma comida. Eu não tinha mais de me preocupar em nos alimentar. A sra. Csengeri assumia a responsabilidade e nunca reclamava. Quando o condutor avisava que o trem estava para partir, tornávamos a subir.

Estávamos indo em direção à Romênia. No trem cantávamos e conversávamos. A sra. Csengeri e a sra. Goldenthal disseram que iam guardar os uniformes listrados de prisioneiro que tinham usado em Auschwitz e testemunhar para o mundo o que tinha acontecido lá. "Eu vou contar a minha história", a sra. Csengeri ficava dizendo. "Vou contar o que esses monstros fizeram conosco." Naquela época, eu não entendia por que aquilo era tão importante. Não podia imaginar que alguém ia querer ouvir sobre Auschwitz, mas as mulheres ficavam discutindo a respeito disso.

A questão vinha com a dúvida sobre se seus maridos tinham sobrevivido. Eu me perguntava se alguém da minha família havia sobrevivido além de mim e Miriam. Ninguém sabia de fato.

Às vezes passávamos por vilarejos e cidades que tinham sido destruídos por bombardeios. Edifícios de tijolos jaziam em ruínas. Escombros cobriam o chão. Alguns lugares pareciam completamente abandonados. Fomos de Katowice, na Polônia, para Czernowitz, perto da fronteira com a Romênia. No limite externo da cidade, ficamos num lugar que pode ter sido um campo de trabalhos forçados ou um gueto. Permanecemos ali por cerca de dois meses e pensamos que estávamos chegando perto de casa.

Em uma tarde, pediram que fizéssemos as malas, e então embarcamos em outro vagão de gado com beliche. À medida que o trem seguia adiante, os adultos percebiam que já devíamos ter alcançado a Romênia; a Transilvânia agora fazia parte da Romênia novamente, não mais da Hungria. Mas olhando as sinalizações, a sra. Csengeri disse que estávamos adentrando a União Soviética. Quando o trem passou a se arrastar por uma subida acima, algumas pessoas pularam dos vagões e se distanciaram dos trilhos. *Para onde estão indo?*, eu me perguntei. Durante anos me perguntei o que teria acontecido com elas. Mais tarde, percebi que muitas pessoas estavam com medo da União Soviética e não queriam viver sob um governo comunista.

Uma semana depois, chegamos num campo para refugiados em Slutsk. Era perto de Minsk, na União Soviética. Vivemos lá por alguns meses com antigos prisioneiros de toda a Europa. Finalmente, fomos agrupados de acordo com nosso país de origem.

Certo dia, em outubro, iniciamos o retorno para a Romênia. Nossa primeira parada foi Nagyvárad (Oradea), a cidade da sra. Goldenthal. Ela e os filhos chegaram em casa. Fiquei com tanta inveja! Eu queria estar de volta à nossa casa! Naquela noite, o restante de nós ficou num hotel perto da estação de trem e jantou lá. A comida estava muito, muito boa, consistia em batatas cozidas acompanhadas de ovos fritos com temperos, além de maçãs e sorvete para a sobremesa. Pela primeira vez, ficamos empanturradas de tanto comer. Uma agência judaica nos deu o dinheiro para pagar nossa conta. Cada cidade que antes tinha uma população judia tinha agora uma agência judaica para tomar conta de pessoas deslocadas como nós e ajudar a reunir famílias.

No dia seguinte, embarcamos em outro trem e fomos na direção sul, para Şimleu Silvaniei, a cidade da sra. Csengeri. Ela nos convidou para passar a noite. Pela manhã, agradecemos por ter tomado conta de nós e pegamos o primeiro trem para Portz, nosso vilarejo.

Quando o trem parou, e o condutor avisou "Portz!", eu imediatamente reconheci a estação. De mãos dadas, Miriam e eu desembarcamos no topo de uma colina e começamos a descer, rumo ao povoado.

— Vamos para casa — falei.

Eu tinha de ver como estava. Não sei o que estava esperando encontrar. Estaria tudo do modo como deixamos, talvez só um pouco desarrumado em razão dos meses em que estivemos fora? No meu pensamento, casa significava Miriam, eu, nossas irmãs e meus pais, a fazenda e nossos animais. Qualquer retorno para casa tinha de incluir pelo menos algumas dessas coisas, não é? Eu me permiti imaginar que havia algo bom esperando por nós.

De mãos dadas, Miriam e eu caminhamos pelo vilarejo. Estávamos usando nossos vestidos idênticos, feitos a partir de túnicas cáqui soviéticas, e eu ainda tinha os sapatos do campo, duas vezes o tamanho de meus pés. Quando eu dava um passo, a parte da frente do calçado caía primeiro. As pessoas saíam de suas casas e sussurravam entre si. Ninguém falava conosco diretamente. Apenas nos observavam à medida que descíamos a rua. Miriam e eu ainda parecíamos as mesmas. Eu tinha a sensação de que os habitantes do povoado sabiam quem éramos.

À medida que nos aproximávamos de nossa casa, meu coração passou a bater tão forte que eu podia ouvi-lo palpitar. Mal podia esperar chegar ao portão. Finalmente estaríamos em casa de novo! Minhas lembranças da casa eram de coisas boas e de bons tempos: camas quentes e roupas que serviam, uma mãe que cozinhava para nós, um pai que era provedor. Minha família.

Mas nada disso tinha restado. Nada a não ser a terra não lavrada e as paredes nuas de uma casa vazia.

Tudo parecia negligenciado. Abandonado. Percebi imediatamente que papai e mamãe não tinham retornado. Eles jamais deixariam o mato crescer tanto. Jamais permitiriam que a casa deixasse de funcionar.

Foi nesse momento que percebemos, Miriam e eu, que éramos tudo o que havia restado da família Mozes. Vovó e vovô Hersh — a razão principal de minha mãe não fugir para a Palestina — também tinham sido levados. Não havia mais ninguém.

Ainda de mãos dadas, Miriam e eu entramos. Ficamos surpresas quando a cadelinha Lily, de mamãe, uma pequena Dachshund vermelha, veio correndo para nos saudar, latindo e abanando o rabinho. Todo esse tempo e ali estava ela. Parecia nos reconhecer, e quando nos achegamos para acariciá-la, ela nos lambeu as mãos. Isso me faz imaginar que cães judeus não eram levados para campos de concentração, apenas pessoas judias.

A casa estava suja — e vazia. Tudo havia sido pilhado. Mobília, cortinas, pratos, roupas, castiçais — tudo. Eu andava de um quarto para o outro em busca de alguma lembrança, de alguma reminiscência da vida que tínhamos vivido. Encontrei apenas três fotos amarrotadas e comprimidas num maço, jogadas pelo chão. Eu as apanhei e as guardei.

Uma das fotos trazia minhas irmãs mais velhas, Edit e Aliz, com três de nossas primas. Outra era de Edit, Aliz, Miriam e eu com nossas professoras, em 1942. A terceira foto era o último retrato de minha família inteira e tinha sido tirada no outono de 1943. Na fotografia em preto e branco, Miriam e eu estávamos com nossos vestido bordô idênticos. Era a única prova que eu tinha de que antes, não muito tempo atrás, eu tivera uma família. Miriam e eu ficamos por seis ou sete horas vagando pela fazenda. As árvores frutíferas ainda estavam lá, e nós comemos algumas ameixas e maçãs, mas os habitantes do povoado tinham apanhado a maior parte.

De pé estão a prima Magda, a irmã Edit e a prima Aggi.
Deitadas no gramado estão a prima Dvora e a irmã Aliz.
Todas as garotas desta foto morreram nos campos de concentração.

Lá pelo meio da tarde, nosso primo Shmilu apareceu. Tia Irena, a irmã mais nova de nosso pai, ao que tudo indicava, tinha pedido a ele para vir ao nosso encontro. Mais tarde viemos a saber que ela nos rastreara por meio da Cruz Vermelha. Miriam e eu estávamos entre os últimos judeus a retornar à Transilvânia, e tia Irena havia acompanhado as listas para ver se alguém de nossa família tinha sobrevivido. Foi desse modo que ela soube exatamente quando nosso trem devia ter chegado a Portz e entrou em contato com Shmilu.

Shmilu tinha cerca de vinte anos de idade e havia morado num vilarejo ali perto. Ele também havia sido aprisionado em Auschwitz e era o único de sua família imediata a sobreviver. Contei a ele que os vizinhos tinham roubado tudo.

— Sim — disse ele —, eu sei.

Shmilu havia pegado de volta dos vizinhos uma cama, uma mesa e um par de cadeiras a fim de arrumar um quarto para ele na cozinha de verão de nossa fazenda. Ele estava lavrando a terra e tomando conta de Lily. A cadela ia e vinha em perambulações, comendo restos pelas fazendas.

Fizemos perguntas a Shmilu sobre nossos pais.

— Não vi ninguém de sua família — contou-nos. — Tudo o que eu sei é que a tia Irena sobreviveu e está esperando por vocês.

Ela tinha sido enviada para um campo de concentração, mas retornara em maio.

Eu não me sentia confortável na casa, muito embora ela fosse nossa. Já não me sentia mais como pertencendo àquele lugar. Miriam e eu não tínhamos casa, nem pais, nem irmãs. Mas ainda tínhamos uma à outra.

Deixamos o primo Shmilu. Os habitantes do vilarejo estavam em seus portões e, em silêncio, nos observaram ir embora. Eu sentia raiva deles, mas não disse nada. Embarcamos num trem que levaria a mim e Miriam à grande cidade de Cluj, para nos juntarmos à nossa tia.

Faríamos uma nova vida para nós de alguma forma.

CAPÍTULO 13

Nos cinco anos seguintes, de 1945 a 1950, Miriam e eu moramos com tia Irena. Ela tinha um grande apartamento na cidade de Cluj.

Antes da guerra, Miriam e eu sempre apreciávamos nossas visitas à casa de tia Irena e suas visitas para nos ver. Ela e o marido viajavam muito e nos contavam histórias de suas férias na Riviera Francesa e em Monte Carlo. Amávamos ouvi-la e olhar suas joias e peles. Seu filho era o nosso primo favorito.

Porém, um ano ou dois após nossa chegada a Cluj, começamos a descobrir que a liberdade não era o que tínhamos pensado que seria. A Romênia era agora controlada pelos comunistas. O Partido Comunista era o único partido político e detinha o poder sobre todas as coisas. A polícia secreta prendia qualquer um que se opusesse ao governo e tomava a propriedade das pessoas e a dava aos camponeses.

Durante a guerra, os nazistas haviam forçado tia Irena a trabalhar numa fábrica de bombas na Alemanha. Seu marido e o filho tinham perecido nos campos de concentração. Quando retornou a Cluj, ela descobriu que os comunistas haviam tomado a maior parte de suas posses. Contudo, o Estado deixara tia Irena ficar com o apartamento, porque ela era viúva de guerra e sobrevivente dos campos de concentração. Ela se casou com um farmacêutico que também era sobrevivente.

Nós todos vivíamos juntos, mas não éramos realmente uma família. Sabíamos que nossa tia tomava conta de nós porque ela era o único de nossos parentes disposto a nos assumir. Mas tia Irena jamais nos abraçou, ou nos beijou, ou falou conosco de maneira afetuosa. Miriam e eu tínhamos sede de afeto e ansiávamos por uma mãe amorosa.

Tia Irena tinha ainda tapetes persas, uma coleção de porcelanas e algumas roupas de luxo de seus dias de antes da guerra. Esses tesouros a lembravam da boa vida que então levava e, estranhamente, pareciam significar mais para ela do que nós.

Miriam e eu nos sentíamos fora de lugar naquele apartamento imenso. Éramos desleixadas e negligentes. Éramos crianças de onze anos de idade que tinham retornado dos barracões de Auschwitz. Não pertencíamos a Auschwitz, mas tampouco pertencíamos àquele apartamento chique em Cluj.

Todas as noites eu tinha pesadelos. Sonhava com ratos do tamanho de gatos, com corpos mortos e agulhas enfiadas em mim. Depois que descobrimos que os nazistas tinham feito sabão com a gordura de judeus, eu sonhava que um sabonete falava comigo com a voz de meus pais e irmãs, perguntando: "Por que você está nos usando para tomar banho?".

Não contei a Miriam, porque tive medo de fazê-la se sentir mal e ter pesadelos também. Nós duas desenvolvemos problemas de saúde e tínhamos resfriados o tempo todo. Feridas dolorosas cobriam nosso corpo. As feridas cresciam, ficando do tamanho de maçãs, e formavam cicatrizes. Quando tia Irena nos levou ao médico, eu fiquei aterrorizada — me lembrei do Dr. Mengele e seus assistentes em jalecos brancos. Aprendi a não confiar tanto em médicos.

Quando o médico romeno nos examinou, ele disse:

— Essas crianças sofrem do mal que é o de muitas crianças da guerra: desnutrição. Não há nada errado com elas que vitaminas e uma boa dieta não possam dar um jeito.

Naquela época, vitaminas não estavam disponíveis, e a comida era escassa. Ficávamos numa fila por horas para receber uma fatia de pão. Nosso primo Shmilu trazia-nos farinha, batatas, ovos, legumes e verduras e óleo de girassol da fazenda. Miriam e eu ansiávamos por aquele óleo e o bebíamos direto da garrafa! Isso preocupava tia Irena, mas o médico disse para nos deixar beber, que parecíamos estar nos recuperando.

Um dia, eu estava comendo pão branco na varanda do apartamento, alguém viu e me reportou à polícia secreta. À noite veio a polícia, invadiu o apartamento e confiscou toda a nossa comida. No dia seguinte, minha tia construiu um gabinete falso que tinha a aparência de uma parede. Só se podia entrar lá apertando um botão. A partir daí, passamos a esconder nossa comida no gabinete.

Uma noite, a polícia secreta levou o marido de tia Irena sem nenhuma explicação. Ele desapareceu. Não sabíamos se estava vivo ou morto. Quando saíamos, ficávamos sempre preocupadas com quem podia estar vendo ou ouvindo. Alguém podia nos entregar para a polícia secreta.

A vida na Romênia comunista se tornava cada vez mais difícil. O governo controlava tudo, incluindo as escolas. Em nosso primeiro dia no ensino médio, Miriam e eu fomos com nossos vestidos cáqui idênticos. Lembramos quando íamos para a escola em Portz com nossos vestidos bordô idênticos. Agora todas as crianças faziam troça de nós por causa de nossas roupas. Tínhamos perdido apenas um ano e meio e não estávamos muito atrasadas em nossos estudos. A escola, contudo, era mais difícil para nós porque falávamos húngaro, e as aulas eram dadas em romeno.

Na escola, éramos as únicas judias. Outros estudantes nos chamavam por nomes feios, apesar do que tínhamos passado. Pessoas antissemitas em Cluj espalhavam rumores de que à noite um vampiro judeu espreitava as garotas cristãs e sugava o seu sangue. Miriam e eu íamos a um orfanato para a nossa refeição noturna, já que não havia comida suficiente na casa de tia Irena. Quando voltávamos para casa, eu ficava pensando: *Como esse vampiro vai saber que eu sou judia e não vai me atacar?*

Mas não eram apenas os judeus que estavam sendo perseguidos. As condições eram terríveis para todos. Miriam e eu acabamos entrando para uma organização sionista judia a fim de aprender sobre a Palestina, porém mais tarde o governo fechou a organização. Às vezes, recebíamos pacotes de nossa tia dos Estados Unidos. Certa vez ela nos mandou tecidos, tia Irena nos levou à costureira, e tivemos três pares de vestidos idênticos feitos para mim e para Miriam. O nosso favorito era um azul com estampa poá. Amávamos usar vestidos iguais para chamar a atenção e confundir os garotos. Nossa tia americana também nos enviou casacos, mas eles eram para adultos e não nos serviram.

Eva e Miriam como estudantes do ensino médio em Cluj

Um dia, em 1948, quando estávamos com quatorze anos, o governo anunciou que a loja teria casacos novos para vender. Miriam e eu ficamos na fila a noite inteira esperando a loja abrir às dez da manhã seguinte. Mas doze mil pessoas apareceram — para duzentos casacos! Quando as portas se abriram, e as pessoas entraram correndo, uma vendedora que era amiga de minha tia nos reconheceu. Ela nos lançou dois casacos e nos enfiou debaixo de um balcão. Mais tarde, pagamos por eles e saímos andando com nossos casacos idênticos cor de ferrugem, a cor das folhas de outono. Usamos esses casacos quando fomos de navio para Israel, muito tempo depois.

A Palestina se tornou Estado de Israel em 1948. Comecei a pensar que seria um privilégio viver num lugar em que meu pai tinha sonhado viver. Na última vez em que vimos papai, ele nos fizera prometer que, se sobrevivêssemos, iríamos para a Palestina.

Miriam e eu trocávamos cartas com tio Aaron, o irmão de nosso pai que vivia em Haifa, e enviamos para ele uma foto nossa. Tio Aaron se ofereceu para ajudar na nossa reinstalação e a aliviar nosso sofrimento. Escrevemos para ele e perguntamos se havia chocolate em Israel. Ele respondeu contando-nos que nós poderíamos comer todo o chocolate que quiséssemos e também todas as laranjas que quiséssemos. Ele tomaria conta de nós. Achávamos que Israel parecia ser o paraíso!

Tia Irena disse ter recebido notícias de que seu filho estava vivo e morando em Israel. Ela também queria emigrar. Nós três nos candidatamos para obter vistos de saída, e o de nossa tia foi concedido facilmente. Levou dois anos para que Miriam e eu obtivéssemos os nossos. O governo não queria deixar que pessoas jovens saíssem da Romênia, porque precisava da juventude para reconstruir o país devastado pela guerra.

No entanto, começamos os preparativos para a nossa viagem. As regras sobre o que poderíamos levar mudavam todos os dias. Empacotamos as coisas um ano antes de ir e passamos a viver cercadas por caixas cheias de coisas que gostaríamos de levar. Para deixar o país, Miriam e eu tivemos de abrir mão do que restara de nossa propriedade. Ainda possuíamos quase um hectare de terra de fazenda e a casa em Portz. Os comunistas já tinham reivindicado a maior parte da fazenda para dividir entre os camponeses. Queríamos tanto ir que abrimos mão.

Dois meses antes de deixarmos a Romênia, o marido de tia Irena foi libertado da prisão e recebeu um visto. Ele não disse uma palavra a nós, garotas, sobre o que tinha se passado com ele. Apenas estávamos felizes por ele ter sido libertado.

Finalmente, em junho de 1950, quando estávamos para partir, o governo nos informou que tudo o que poderíamos levar era o que pudéssemos vestir. No dia em que partimos, tia Irena nos fez botar três vestidos sob nossos casacos idênticos. Com cuidado embrulhei as fotos amassadas de minha família num papel e as trouxe comigo.

Pegamos um trem para Constança, uma cidade na costa do Mar Negro. Empurrando e nos enfiando, formamos uma fila para embarcar no navio. Miriam e eu estávamos esmagadas. Eu mal podia respirar. Mas demos as mãos com força, assim não seríamos separadas. Havia três mil pessoas num navio construído para comportar apenas mil. Esperamos por vinte e quatro horas antes de o navio zarpar.

À medida que nos afastávamos da costa, eu já sabia que não havia nada para mim e Miriam na Romênia. Durante aqueles últimos cinco anos, eu sempre havia esperado que nossas irmãs ou pais pudessem voltar. As organizações judias, trabalhando com a Cruz Vermelha, postavam listas de pessoas que estavam retornando. Eu checava as listas no orfanato em que jantávamos todas as noites, mas não houve sinal algum de nenhum membro de minha família. Miriam e eu estávamos com dezesseis anos. Precisávamos seguir em frente.

Foi uma viagem longa e cansativa. Ficamos dias e mais dias sem terra à vista, mas era empolgante estar no mar aberto. As infinitas extensões de água e céu com ar puro e vento a se filtrar por nosso cabelo tinham cheiro de liberdade e de promessa. De mãos dadas, Miriam e eu observávamos golfinhos saltando para dentro e para fora do mar.

Um dia, de manhã bem cedo, nosso navio se aproximou de Haifa. Quando atracou, ficamos no deque e contemplamos o sol se elevando por sobre o Monte Carmelo, em Israel. Foi uma das mais belas imagens que eu já tinha visto. A terra da liberdade. A maior parte dos passageiros do navio era de sobreviventes do Holocausto como nós. Todo mundo irrompeu a cantar o hino nacional de Israel, "Hatikvah". Chorávamos e cantávamos com alegria.

Ao desembarcar no porto, buscamos por uma pessoa que estivesse a nos procurar. Tio Aaron finalmente nos avistou, gritando nossos nomes e agitando os braços para ter a certeza de que o víamos. Nós nos abraçamos e nos beijamos. Choramos em seus braços. Fazia muito tempo que minha irmã e eu não recebíamos amor de verdade de alguém a não ser uma da outra.

Minha irmã gêmea e eu, em nossos casacos idênticos cor de ferrugem e em camadas de vestidos idênticos, finalmente sentíamos como se tivéssemos chegado a casa.

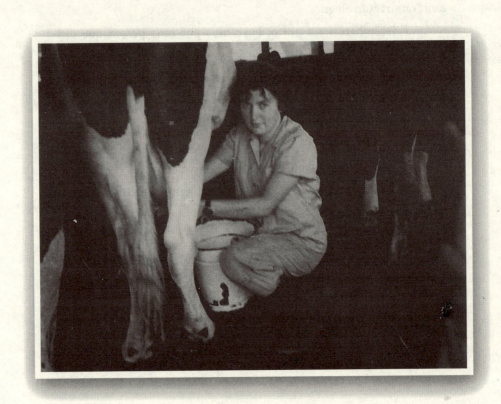
Eva ordenhando uma vaca

CAPÍTULO 14

Quando chegamos a Haifa com tio Aaron, ficamos sabendo que o filho de tia Irena na verdade não estava lá. Ela tinha inventado a história para conseguir um visto. Miriam e eu ficamos tristes ao nos darmos conta de que nosso primo favorito estava perdido para sempre. Passamos a tarde com tio Aaron e sua família. Ficou decidido que Miriam e eu iríamos para as *Youth Aliyah Villages*, que haviam sido estabelecidas pelo governo israelense. As vilas ficavam em enormes fazendas onde jovens como nós trabalhavam na lavoura, plantando e colhendo, e cuidavam de animais. A comida que produzíamos ajudava a alimentar a nova nação de Israel.

Em nossa vila, trabalhávamos metade do dia e íamos para a escola na outra metade. Meus trabalhos eram colher tomates e amendoins e ordenhar vacas.

Miriam e eu estávamos na vila com cerca de trezentos outros adolescentes de muitos países diferentes. Nem todos os jovens eram sobreviventes do Holocausto como nós. Havia muitas crianças morando na vila enquanto seus pais recebiam treinamento para alguma profissão. Em nossa chegada, fomos todos divididos em grupos e nos tornamos amigos. Cada dormitório tinha uma "dona de casa", mas nós deveríamos tomar conta de nosso próprio quarto. Pela primeira vez desde que saímos de Auschwitz, eu dormia sem ter pesadelos. Eu não tinha mais de me preocupar com nossa segurança física ou sobrevivência. Não havia antissemitismo e nos era permitido, até mesmo encorajado, que celebrássemos nossa herança judaica. Nossas feridas e sofrimentos foram aos poucos se curando naquelas vilas para a juventude.

Embora todos nós chegássemos falando uma variedade de idiomas, aprendemos uma mesma língua em comum: o hebraico. Aprendi algumas palavras já na primeira noite que Miriam e eu passamos na vila. Era uma sexta-feira. Naquela noite e em cada sexta-feira à noite, todos os jovens se reuniam numa enorme sala de jantar para saudar o Shabbat, o Sabá judaico. Havia velas e vinho nas mesas. Todos nós vestíamos camisas brancas. Duas garotas foram designadas a mim e a Miriam como "irmãs mais velhas" e fizeram com que nos sentíssemos em casa.

Após as orações, todo mundo começou a cantar e a dançar a *hora*. Mas eu não sabia como. *Será que eu consigo dançar isso?*, eu me perguntava. Minha irmã mais velha pegou na minha mão. A irmã mais velha de Miriam pegou na dela, e todos se deram as mãos e formaram um círculo. Dançamos para a direita, eu não conhecia os passos, mas fui acompanhando. Com os braços erguidos para o alto, dançamos juntos, garotos e garotas, todos nós cantando "Hava Nagila". Rindo, dançamos, rodando e rodando, e mais e mais rápido. Eu dançava a *hora* e estava cheia de alegria. Miriam e eu finalmente éramos parte de uma nova, grande e acolhedora família.

EPÍLOGO DE EVA

Eva Mozes Kor, abril de 2009

Em Israel, vivemos por dois anos na Youth Village. Íamos para a escola metade do dia e trabalhávamos na fazenda na outra metade. Aprendemos o hebraico muito rápido, em dois anos já estávamos pulando de uma classe para a seguinte, para finalmente terminar na décima série. Miriam trabalhava no campo enquanto eu atuava como leiteira. Eu era a única garota trabalhando com seis rapazes. Aprendi a dizer "eu te amo" em dez línguas diferentes e, aos dezesseis anos, isso parecia uma coisa importante a se saber.

Em 1952, tivemos de servir no exército israelense, no qual Miriam estudou enfermagem e se tornou uma enfermeira licenciada. Eu estudei projetos e me tornei uma projetista, que desenha plantas de edifícios e de máquinas. Eu estava aquartelada em Tel Aviv e fiquei no exército israelense por oito anos, alcançando a patente de sargento-mor. Aqueles anos foram de crescimento para mim. Eu me tornei uma projetista muito boa e aprendi que era capaz de ganhar a vida. Mas eu ansiava por ter um lar e a minha própria família.

Em abril de 1960, conheci um turista americano, Michael Kor, que estava visitando o irmão em Tel Aviv. Muito embora quase não conseguíssemos nos comunicar, nós nos casamos poucas semanas depois. Ele havia me dito algo em inglês; naquela noite fui pesquisar e então respondi: "Sim". Era um pedido de casamento. Tudo o que sei depois disso é que me vi uma mulher casada morando em Terre Haute, Indiana, onde Michael vivia desde 1947. Ele tinha ido para lá depois da guerra precisamente para viver perto de seu libertador das Forças Aliadas dos Estados Unidos. Tenho de dizer que não é lá muito boa ideia se casar com alguém sem ter como se comunicar na mesma língua. Nós dois lidamos com surpresas demais enquanto nos conhecíamos. Por exemplo, de início ele pensou que eu fosse uma pessoa muito quieta! Como você bem pode imaginar por este livro de memórias, eu não sou; eu só não conseguia falar nada em inglês.

Ir de Tel Aviv para Terre Haute foi como pousar na lua. Eu não sabia nada sobre a vida nos Estados Unidos, não falava inglês e pensava que todo mundo fosse rico. Em poucas semanas, eu engravidei. Sentia tanta falta de casa, com saudades de Miriam e de meus amigos de Israel, que assistia à TV para afogar a minha solidão. À época, eu pensava que tudo o que os americanos viam na TV eram noticiários e esportes, já que esses eram os únicos gêneros de programa a que meu marido assistia.

Um dia, para a minha surpresa, estava passando um filme na TV sobre um jovem casal que se encontrava, se beijava e vivia como vivem as pessoas jovens. Aquele era um programa de TV ao qual valia a pena assistir! Fiquei absorvida pelo filme, ignorando a ação e anotando palavras que eu não conhecia para depois procurá-las no dicionário. Então passei a memorizar aquelas palavras. Foi desse modo que aprendi a falar inglês bem o suficiente para arrumar um emprego três meses após minha chegada aos Estados Unidos.

Nosso filho, Alex Kor, nasceu em 15 de abril de 1961, e nossa filha, Rina Kor, em 1º de março de 1963. Achei que minha vida estava completa. Mas ainda assim minhas experiências de infância continuavam a voltar para me assombrar. As festas de aniversário começaram, e isso se tornou um problema, porque meus filhos passaram a me perguntar por que é que eles não tinham avós como todos os seus amigos.

Fileira de cima (da esq. para a dir.): Eva, Mickey Kor, a sobrinha de Mickey,
Miri, o irmão Shlomo e a cunhada Sara. Na frente, está o sobrinho de Mickey, AuShalom.

Quando Alex estava com seis anos de idade, no Halloween, um garoto muito popular e seus amigos apareceram para pregar peças nele. Aquelas peças me fizeram lembrar dos dias em que a juventude nazista nos assediava em Portz, num momento em que eu estava desamparada e não podia fazer nada para me defender. Porém, desta vez eu vivia neste grande país e não era obrigada a aturar aquilo! Então saí e expulsei os garotos. Por causa disso eu me tornei muito "popular" com as crianças no Halloween. Todo ano o assédio começava em 1º de outubro: eles pintavam suásticas em nossa casa e punham cruzes brancas no quintal — era horrível.

Alex voltava da escola para casa chorando e dizendo: "Mamãe, sinto tanta vergonha de você! Todos os garotos dizem que você é louca! Por que você não pode ser como as outras mães?". Eu disse a meu filho que não era louca, mas tampouco podia ser como as outras mães. Achei que, se eu pudesse contar a história do que havia acontecido comigo quando era criança, os garotos entenderiam e me deixariam em paz, vivendo no sossego de meu lar. Mas como vítima de tamanhas atrocidades, eu não sabia como fazer aquilo.

Fui assediada durante onze anos, até 1978, quando a NBC levou ao ar a série "Holocausto". De repente, todo mundo entendeu por que eu era diferente. Aqueles mesmos garotos que me insultavam no Halloween vieram ter comigo ou me escreveram para se desculpar. Comecei a dar conferências em 1978, e as pessoas sempre me perguntavam sobre os detalhes dos experimentos. Eu jamais soube de todos os detalhes sobre Auschwitz, mas achava que devia haver muita informação disponível sobre os campos e sobre o Dr. Mengele. Infelizmente, não consegui encontrar nenhuma informação em livro algum. Eu lembrava que, no filme da libertação, cerca de duzentas crianças eram mostradas saindo do campo. Se eu pudesse contatar aquelas crianças, já então adultas, poderíamos compartilhar nossas memórias e recompor o que tinha sido feito conosco. Mas eu não sabia onde encontrá-las.

Foram necessários seis anos para eu ter a ideia de formar uma organização para ajudar a mim e a Miriam a localizar os gêmeos de Mengele. Em 1984, fundamos o CANDLES, um acrônimo para *Children of Auschwitz Nazi Deadly Lab Experiments Survivor*. Localizamos cento e vinte e dois sobreviventes vivendo em dez países de quatro continentes. O CANDLES, como grupo de apoio, ajudou muitos gêmeos a lidar com algumas das questões especiais que todos tínhamos como sobreviventes dos experimentos de Mengele.

Eva e Miriam em Auschwitz, 1991

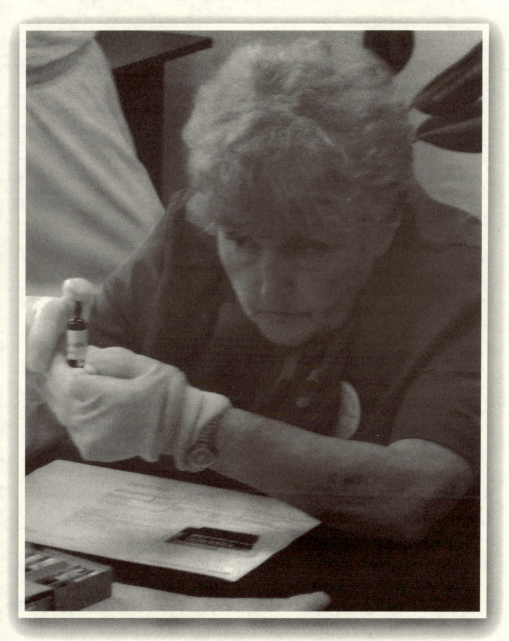

Eva segurando um frasco que continha substâncias usadas nos experimentos do Dr. Mengele.
O conteúdo de frascos como este é desconhecido; jamais foram abertos ou testados

À medida que o tempo passava, Miriam sofria cada vez mais com problemas em seus rins. Sabíamos que estavam relacionados às injeções que ela recebera em Auschwitz, mas jamais chegamos a descobrir o que foi que impediu seus rins de crescerem além do tamanho de rins de uma criança de dez anos. Em 1987, eles falharam. Eu doei meu rim esquerdo, o que a ajudou a viver até 6 de junho de 1993. Não conseguimos descobrir o que ela ou cada um de nós tinha recebido naquelas injeções. Eu ainda estou pesquisando e espero chegar a essa informação.

A morte de Miriam foi devastadora para mim. Eu sabia que tinha de fazer algo de positivo em sua memória. Foi assim que, em 1995, inaugurei o *CANDLES Holocaust Museum and Education Center*, em Terre Haute, Indiana. Mais de cinquenta mil pessoas visitaram o museu desde que ele abriu as portas, sendo jovens em sua maioria.

Em 1993, viajei para a Alemanha e me encontrei com um médico nazista de Auschwitz: o Dr. Münch. Surpreendentemente, ele foi muito gentil comigo. Tanto mais surpreendente é que me vi gostando dele. Perguntei se ele sabia de alguma coisa sobre as câmaras de gás em Auschwitz. Respondeu que o que sabia alimentava os pesadelos com que ele convivia todos os dias. E passou a descrever, contando: "Diziam às pessoas que elas estavam indo para o chuveiro, que tinham de memorizar o número do cabide com suas roupas e que deviam amarrar juntos os seus sapatos. Quando a câmara de gás estivesse completamente cheia, as portas eram fechadas hermeticamente e vedadas. Um orifício como uma saída de ar se abria no teto, e eram lançadas pelotas como cascalhos ao chão. De algum modo, essas pelotas operavam como gelo seco e se transformavam em gás. O gás começava a subir do chão. As pessoas tentavam escapar do gás que se elevava subindo umas por cima das outras. Os mais fortes terminavam por cima de uma pilha de corpos intercalados. Quando a pessoa no topo da pilha parava de se mexer, eu sabia, ao olhar por um olho mágico e examinar tudo, que todos estavam mortos". O Dr. Münch assinava certidões de óbito em massa. Não havia nomes em tais certidões, apenas o registro de que tinham sido duas mil ou três mil pessoas mortas.

Do meio à esquerda, Rina Kor (segurando um documento), Alex Kor, Eva Mozes Kor e o Dr. Münch, em Auschwitz, em 1993, assinando seus depoimentos

Disse ao Dr. Münch que era uma informação muito importante, pois eu não sabia que as câmaras de gás funcionavam daquela maneira. Perguntei se ele iria comigo a Auschwitz em 1995, quando estaríamos celebrando o aniversário de cinquenta anos de nossa libertação do campo. Também lhe pedi que assinasse uma declaração sob juramento acerca do que ele tinha dito, visto e feito, e que o fizesse no local de todos aqueles assassinatos. Ele respondeu que gostaria muito de fazê-lo.

Assim, retornei da Alemanha e estava muito feliz em poder ter um documento original testemunhado e assinado por um nazista — um participante, não um sobrevivente e nem um libertador — para acrescentar à coleção histórica de informações que estávamos preservando para nós mesmos e para as gerações futuras. Tão grata eu estava pelo fato de o Dr. Münch se mostrar disposto a ir comigo a Auschwitz e assinar aquele documento sobre a operação das câmeras de gás que quis lhe agradecer. Mas o que podemos dar a um médico nazista? Como é possível agradecer a um médico nazista?

Refleti sobre essa questão durante dez meses. Todos os tipos de ideia me vieram à mente até que finalmente pensei: "Que tal uma simples carta do meu perdão para ele? Perdoando-o por tudo o que ele tinha feito?". Eu imediatamente me dei conta de que ele a apreciaria, mas logo que tomei a decisão descobri que o perdão não é tanto para o perpetrador, e sim mais para a vítima. Eu tinha o poder de perdoar. Ninguém poderia me dar esse poder e ninguém poderia tirá-lo de mim. Isso fez com que eu me sentisse poderosa. Fez com que eu me sentisse bem em ter qualquer poder sobre a minha vida como sobrevivente.

Comecei a escrever a minha carta e elaborei diversas versões, trabalhando com uma série de mágoas. Quanto à minha ortografia, chamei a minha antiga professora de inglês para corrigir a carta. Encontramo-nos algumas poucas vezes, e ela pediu que eu pensasse em perdoar também ao Dr. Mengele. De início, fiquei chocada, porém mais tarde prometi a ela que o faria, por ter percebido que tinha o poder de perdoar até mesmo o Anjo da Morte. *Nossa*, pensei, *eu me sinto bem em poder fazer isso. Eu tenho esse poder e não estou machucando ninguém com isso.*

Chegamos a Auschwitz em 27 de janeiro de 1995. O Dr. Münch veio com seu filho, filha e neta, e eu fui com meu filho, Alex Kor, e minha filha, Rina. O Dr. Münch assinou seu documento. Então eu li a minha própria declaração de perdão e a assinei.

Imediatamente, senti que um fardo de dor tinha sido retirado de meus ombros, uma dor com a qual eu tinha vivido por cinquenta anos: eu não era mais uma vítima de Auschwitz, não era mais uma vítima de meu passado trágico. Eu estava livre. Também aproveitei aquele momento para perdoar meus pais, a quem eu tinha odiado durante toda a vida por não terem nos protegido de Auschwitz, por não nos pouparem de crescer como órfãs. Eu finalmente entendi que eles tinham feito o melhor que podiam. Também perdoei a mim mesma por ter odiado meus pais para começo de conversa.

A raiva e o ódio são sementes que fazem germinar a guerra. O perdão é uma semente para a paz. É o ato derradeiro de autocura.

Vi o perdão como o cume de uma montanha muito alta. Um lado é escuro, sombrio, úmido e muito difícil de escalar. Mas aqueles que lutam e chegam ao cume podem ver a beleza do outro lado da montanha, que é coberto de flores, pombas brancas, borboletas e raios de sol. Estando no cume, podemos ver ambos os lados da montanha. Quantas pessoas não escolhem voltar descendo pelo lado sombrio em vez de passear pelo lado ensolarado e coberto de flores?

Dei mais de três mil palestras pelo mundo afora, escrevi dois livros e contribuí com três capítulos para outros três. Espero ensinar a pessoas jovens as lições de vida que eu aprendi por meio de toda a minha dor e de tudo o que passei e a que sobrevivi:

1. Jamais desista de si mesmo ou de seus sonhos, pois tudo de bom na vida é possível;

2. Julgue as pessoas pelas ações delas e pelo conteúdo de seu caráter;

3. Perdoe seu pior inimigo e perdoe qualquer um que o tenha magoado — isso vai curar a sua alma e libertar você.

Quando olho para trás, para meus anos de adolescente, vejo que eu jamais teria acreditado que alguém quisesse me ouvir ou que eu tivesse algo de importante a dizer. Assim, eu estou dizendo a você, a quem quer que esteja lendo este livro, que se lembre: jamais desista. Você pode sobreviver e fazer com que seus sonhos se tornem realidade.

E eu gostaria de terminar com uma citação de minha Declaração de Anistia lida no quinquagésimo aniversário da libertação de Auschwitz:

> Eu espero, de algum modo humilde, enviar ao mundo uma mensagem de perdão; uma mensagem de paz, uma mensagem de esperança, uma mensagem de cura.
>
> Que não haja mais guerras, basta de experimentos sem consentimento, basta de câmaras de gás, basta de bombas, basta de ódio, basta de assassinatos, basta de Auschwitzes.

POSFÁCIO

Peggy Tierney, abril de 2020

O livro de memórias de Eva Kor foi publicado pela primeira vez em 2009, e Lisa Rojany Buccieri captou a voz e a história de Eva tal como ela queria que fosse contada. A narrativa em primeira pessoa proporciona uma compreensão profunda do que Eva estava pensando e sentindo, mas não necessariamente transmite o que foi conhecer Eva, os acontecimentos em seus dez últimos anos de vida e as histórias por trás das histórias, tanto positivas quanto negativas.

Eva — e ela sempre pedia a todos que a tratassem por Eva — era uma mulher baixinha. Ao final de sua vida, media menos de um metro e meio, mas se destacava em qualquer multidão, sempre decorada pelo visual que se fez a sua marca registrada: o terninho azul de Eva Kor. Ela variava usando diferentes lenços ou uma blusa estampada sob um colete azul, mas era sempre um azul particularmente reluzente. Ela dizia: "Eu sou alguém por causa do que sou por dentro, e traje nenhum vai poder mudar isso. Eu gosto mesmo de parecer bem e gosto de azul, porque me agrada o modo como se assenta em mim, sendo mais simples de vestir, como um uniforme. Daí eu não preciso gastar mais tempo e esforços com isso. Não me agrada usar preto, meu tópico já é sombrio demais, e gosto de dar uma animada em minha aparência".

Se o livro dá a impressão de que Eva podia ser teimosa, obstinada, sempre disposta a fazer ou dizer algo de que as pessoas podiam não gostar, essa foi uma verdade de sua vida. Foram essas qualidades que possibilitaram a Eva e Miriam a sobrevivência em Auschwitz. Eva reconheceu que a dureza de seu pai a preparou para o campo; assim como o sigilo e as negativas dos pais fizeram-na perceber que os adultos nem sempre dizem a verdade, e isso a tornou menos propensa a acreditar no que os nazistas diziam, o que salvou as vidas de Eva e Miriam mais de uma vez. Como adulta, era opinativa e direta, por vezes até combativa. Porém, sempre dizia: "Não façam de mim uma santa. Não me ponham num pedestal. Eu não quero essa pressão". Ao ouvi-la falar, ao ouvir sua história e suas lições e testemunhar a magnitude de sua generosidade e seus esforços incansáveis em ajudar pessoas de todas as esferas da vida, foi difícil não colocá-la num pedestal. Mas ela estava certa em evitar a santidade. Ela nos mostrou que não era santidade perdoar inimigos, ser uma campeã e tentar trazer transformadoras paz e bondade para o mundo.

Quando Eva descobriu o poder do perdão para curar as décadas de dor que havia sofrido pelo Holocausto, o público com o qual ela esperava compartilhar sua experiência compunha-se, em primeiro lugar, de outros sobreviventes do Holocausto. Tanto antes quanto depois de seu perdão, ela advogou incansavelmente em favor dos sobreviventes e em questões relacionadas ao Holocausto. Ela foi um catalizador no movimento destinado a pressionar governos pelo mundo afora para que descobrissem e perseguissem criminosos de guerra nazistas, responsáveis por milhões de mortes e que estavam vivendo livremente, a maior parte na Europa ou na América do Sul. Tomou parte nos esforços em busca de compensação financeira para sobreviventes do Holocausto, em particular para os gêmeos de Mengele. Os gêmeos receberam um pedido de desculpas do Kaiser Wilhelm Institute (em 1943, o Dr. Mengele começou a enviar espécimes de Auschwitz para o KWI em suas seções de Antropologia, Hereditariedade Humana e Eugenia em Berlim). Além disso, um processo contra a Bayer, empresa de produtos químicos que fez uso de trabalho escravo judeu durante a guerra, foi incorporado numa ação coletiva, dando origem a um fundo de compensação alemão que realizava pagamentos a sobreviventes. Ela advogou em favor de leis autorizando a educação sobre o Holocausto em escolas públicas dos Estados Unidos e usou seus honorários de conferências para patrocinar a presença de educadores em suas viagens de grupo a Auschwitz, a fim de que esses educadores, por sua vez, pudessem ensinar sobre o Holocausto com mais profundidade e compreensão. Numa declaração pública de seu perdão, Eva disse:

"Muitas pessoas se apegam à dor e à raiva. Infelizmente, isso não ajuda os sobreviventes, e é este o meu enfoque. Meu perdão não tem nada a ver com os perpetradores. É um ato de autocura, de autolibertação e empoderamento. É gratuito, não tem efeitos colaterais e funciona. Recomendo vivamente que seja tentado por todos."

A mensagem de perdão de Eva não foi bem recebida por todos, particularmente no início. É compreensível que a maioria dos sobreviventes tenha se sentido ofendida ao ouvir que Eva havia perdoado os nazistas. Parecia-lhes que Eva havia perdoado os nazis em nome de todos os sobreviventes, enquanto eles não queriam que ninguém perdoasse os nazistas, muito menos em seu nome. Esse foi um equívoco infeliz, porque desde o dia em que Eva leu a sua "Declaração de Anistia", em Auschwitz, dizendo: "Eu, Eva Mozes Kor, apenas em meu nome", ela sempre ressaltou que o perdão é uma decisão pessoal que os indivíduos devem tomar por si próprios em seu próprio tempo. Ela jamais quis dizer que seu perdão seria um perdão conjunto em nome de quem quer que fosse, mas tão somente em nome dela própria. Muitos sobreviventes sentiam que algumas coisas eram simplesmente perversas demais para serem perdoadas, e o Holocausto entrava nessa categoria. Não é difícil entender uma visão do Holocausto como imperdoável: sua existência testifica os limites extremos da crueldade, da ganância e do ódio.

Outro fator importante que provocou uma rejeição ao perdão de Eva estava em sua definição: "perdão" era uma palavra que Eva havia redefinido. Ela sabia que o que havia concedido não era perdão no sentido tradicional. O perdão tradicional envolve expiação e reconciliação entre alguém que foi ferido e a pessoa que o feriu. Não houve reconciliação ou expiação no perdão de Eva, e ela considerava a justiça uma questão à parte. Ela disse: "Eu sabia que usar o termo 'perdão' do modo como usei ia causar confusão. Tentei pensar em outra palavra, mas não me ocorria nenhum termo que coubesse com perfeição. Assim, fiquei usando o termo 'perdão', mas eu esperava que pudesse explicar às pessoas como eu o concebia, e então elas se fariam mais receptivas". Infelizmente, isso nem sempre aconteceu. Ela ficava frustrada com frequência com os sobreviventes que, ela percebia, estavam sofrendo sem necessidade, e por vezes se via repreendendo-os ou mesmo os criticando por não tentarem o perdão que ela tinha idealizado — e essa repreensão era injusta, como seu filho, Alex, reconheceu. Isso também fez com que alguns questionassem suas motivações.

Um dos momentos de maior controvérsia envolvendo Eva foi quando ela viajou à Alemanha para assistir ao julgamento de Oskar Gröning, conhecido como o "contador de Auschwitz". Antes do julgamento, ela escreveu uma carta a Gröning, na qual dizia:

> "É triste, porém verdade, que não possamos mudar o que aconteceu em Auschwitz. Espero que o senhor e eu, como ex-adversários, possamos nos encontrar na condição de pessoas que se respeitam mutuamente como seres humanos e possamos nos relacionar para compreender, curar e expressar pensamentos que, de qualquer outro modo, não seriam possíveis. Sempre que adversários se encontram para reparar uma relação, eles aprendem muito sobre si mesmos e sobre o modo como as pessoas funcionam. Isso não pode ser feito pela televisão, por telefone ou por Skype; só pode ser feito cara a cara.

Sou uma das sobreviventes de Auschwitz que optou por participar como colitigante em seu caso e devo ser a única sobrevivente a ter perdoado todos os nazistas, incluindo o senhor, apenas em meu nome. Meu perdão não absolve os perpetradores de assumirem a responsabilidade por suas ações nem diminui minha necessidade e meu direito de fazer perguntas sobre o que aconteceu em Auschwitz."

Eva estava consciente de que Gröning havia reconhecido o seu papel no Holocausto e expressado remorso. Ele falara publicamente sobre as atividades no campo, expondo as mentiras dos negacionistas do Holocausto na condição de testemunha pessoal das atrocidades nazistas. Eva acreditava que Gröning merecia punição, mas sentia que uma sentença que o fizesse falar de suas experiências a estudantes seria mais útil ao bem público do que sentenciá-lo à prisão. Ela sentia que o julgamento deveria ser mais para curar as vítimas dos nazistas e para evitar o neofascismo.

Ao final do primeiro dia de audiência, Eva quis conversar com Gröning. Quando chegou, ele ficou emocionado e tentou se levantar, mas desmaiou, caindo de sua cadeira de rodas. Eva o pegou pelo pé, e o advogado dela, Markus Goldbach, segurou-o pelo tronco a fim de parar a queda e evitar lesões, até que os marechais da corte chegassem para ajudar.

Eva testemunhou na manhã seguinte, lendo sua declaração sobre o seu perdão e sobre o que pensava daquela sentença. Na pausa para o almoço, ela se aproximou de Gröning para lhe dar um aperto de mão e lhe dizer da importância de ele contar a verdade, tal como fizera no passado. Conforme Goldbach descreveu o encontro: "Num gesto espontâneo, Gröning puxou Eva levemente para baixo e lhe deu um beijo no rosto, tomado pela emoção". Eva ficou surpresa, mas não pôde reagir, sobretudo por ser tão baixa. Tanto Eva quanto o seu advogado perceberam que Gröning não apenas se sentia agradecido pelas ideias dela acerca de sua punição, mas também estava emocionado com o testemunho em que ela conta de seu sofrimento. Goldbach percebeu que, quando Gröning estava testemunhando, ele transitava entre passado e presente, e parecia que uma parte dele jamais tinha saído de Auschwitz de verdade.

O beijo de Gröning rendeu uma foto publicada pela mídia mundo afora e contribuiu para a imagem de Eva como amiga dos nazistas. Artigos sobre o julgamento e a foto incluíam o perdão de Eva, mas raramente indicavam que ela tinha estado ali para dar um testemunho que ajudou a condenar Gröning, uma vez que não procuravam esclarecer o que ela tinha em mente com perdão.

O beijo pós-audiência de Gröning e Eva de fato irritou muitos sobreviventes. A maior parte dos que leram ou assistiram à história pela mídia careceu de um contexto importante. Os atos de Gröning após a guerra criaram uma forma de imagem mais compreensível da aceitação de Eva de um gesto espontâneo de gratidão de um homem idoso e arrependido. Infelizmente para Eva, tal como o Dr. Hans Münch, Gröning não tinha informações em primeira mão sobre os experimentos médicos.

A compaixão de Eva se estendia também ao povo da Alemanha. Durante a escrita deste livro, ela insistiu para que os soldados em Auschwitz não fossem referidos como soldados alemães, mas como soldados nazistas. Ela sabia que nem todos os alemães tinham sido nazistas. Não acreditava em culpa herdada e sentia que impor uma culpa aos alemães que ainda nem haviam nascido à época da Segunda Guerra Mundial e muito menos tinham envolvimento com o Holocausto seria injusto. Ela compartilhou uma história:

> "Em 2005, eu fui para a Alemanha com uma amiga, uma
> senhora alemã de nome Gunda. Conheci Gunda em 2000,
> quando ela me convidou para dar uma palestra em sua escola,
> em Rockford, Illinois. Ela nunca gostou de lidar com o tema

da Segunda Guerra Mundial nem com o Holocausto. Desde pequena tem sido chamada de nazista por ser alemã, mas nasceu depois da guerra e não sabia nada sobre os nazistas. Tentou ficar o mais longe possível das histórias sobre o Holocausto, mas uma colega professora aconselhou-a a me convidar. Eu era diferente, uma sobrevivente que tinha perdoado os nazistas.

Quando encontrei Gunda, disse que ela não tinha de se sentir culpada por ter nascido alemã e que ela era responsável apenas por seus próprios atos. Nós nos tornamos muito boas amigas, e ela decidiu ir comigo para a Alemanha — eu seria a principal oradora do ciclo de conferências idealizado por Albrecht e Brigitte Mahr. Minha conferência teve grande repercussão, e eu fui escalada para conduzir um workshop de três horas. Para dizer a verdade, estava preocupada com o que eu poderia fazer com cinquenta pessoas, com mantê-las ocupadas e envolvidas durante três horas. Enquanto caminhávamos, uma senhora falando inglês se aproximou e se apresentou como Renee Levi, filha de um sobrevivente do Holocausto. Ela me perguntou se eu conhecia algum filho de nazistas. "Sim, Renee, conheça Gunda". Almoçamos juntas, e elas conversaram o tempo inteiro. Houve uma conexão profunda entre as duas.

Quando iniciei meu workshop, achei que ter Renee e Gunda para compartilhar suas histórias e sua conexão emocional seria uma forma importante de mostrar como duas filhas de antigos inimigos podiam se conectar. Quando eu estava me preparando para iniciar o workshop, dez pessoas vieram até mim; elas também queriam compartilhar suas impressões. E então quarenta pessoas vieram e compartilharam suas experiências e suas ideias, e eis que as três horas tinham se passado, e esse foi o workshop.

Naquele dia, fiquei sabendo que os alemães trazem consigo uma dor muito grande; quatro mulheres tinham contado que evitavam ter filhos porque não queriam outra geração de alemães se sentindo culpados por serem alemães. A culpa e as feridas deixadas nos alemães por serem alemães é difícil de compreender, mas estão lá em muitos."

Eva foi contatada por um alemão, Michael Wörle, que era neto de Otmar von Verschuer, o mentor do nazista Dr. Josef Mengele. O Dr. von Verschuer havia trabalhado no Kaiser Wilhelm Institute, em Berlim, onde desenvolvera e dirigira os experimentos com gêmeos conduzidos em Auschwitz. A família do Dr. von Verschuer não tinha ficado sabendo do seu trabalho para os nazistas e de seu papel nos experimentos de Auschwitz nem os reconhecera. Após Wörle ter se deparado com alguns dos escritos de seu avô e achado perturbadores, resolveu pesquisar com mais profundidade. Quando sua pesquisa o conduziu à difícil verdade, ele aproximou-se de Eva. Eles se tornaram amigos próximos, e Wörle acompanhou Eva em suas incursões pela Alemanha, ajudando-a com as viagens e com a organização de reu-niões, atuando como guia e tradutor.

Em 2014, na viagem anual para Auschwitz, o grupo de Eva percebeu outro grupo, composto de garotas alemãs do ensino médio, no vagão de gado que está estacionado na plataforma de seleção. Eva abordou--as ali, as garotas estavam obviamente angustiadas e emocionadas, com lágrimas nos olhos e faces avermelhadas. Ficaram ainda mais quando Eva lhes contou que havia sido prisioneira naquele local quando tinha dez anos de idade. Então ela lhes falou delicadamente, dando a cada uma delas um abraço e dizendo-lhes: "Vocês não precisam se sentir culpadas. Vocês não fizeram isso. Vocês nem eram nascidas. Mas o que vocês têm é a responsabilidade de lembrar e compartilhar o que viram. Sejam testemunhas, evitem que isso volte a acontecer. Seu dever é fazer do mundo um lugar melhor". O grupo em excursão viu as lágrimas das garotas se converterem em sorrisos num momento especial para todos que o testemunharam.

Por mais de uma vez, Eva foi acusada de tentar iniciar uma contro-vérsia para chamar a atenção. De modo geral, é quase impossível evitar controvérsias ao advogar em favor de uma mudança, e a redefinição do perdão por Eva foi radical. Enquanto muitos sentiam que o perdão não deveria ocorrer sem o agressor pedir perdão e oferecer expiação para obter esse perdão, a essa linha de pensamento Eva sempre respondia destacando que tal exigência permite que o agressor mantenha o controle sobre a vítima. Os nazistas estavam ou mortos, ou se escondendo, ou negando o seu papel na guerra. Em sua visão, ela ou qualquer outro sobrevivente estaria fadado a uma vida de ódio e sofrimento se deles fosse exigido esperar por um pedido de desculpas que jamais chegaria. Eva insistia em que o direito de ser feliz, de estar livre de sofrimento, deveria ser visto como um direito humano universal.

Quanto ao seu desejo por atenção, quando Eva recebia holofotes, ela os usava, como sempre fez, para educar as pessoas sobre o Holocausto e usar o perdão para trazer felicidade e paz ao mundo. Levantar dois dedos no sinal clássico da paz se tornou a pose de marca registrada de Eva em muitas fotos, particularmente perto do fim da vida.

Nem todos os sobreviventes se sentiram alienados pelas ações de Eva. Ela manteve relações de amizade com uma série de companheiros sobreviventes que não concordavam com seu perdão, mas compartilharam o vínculo do Holocausto e de sua herança judaica e respeitavam seu trabalho incansável de educação sobre o Holocausto. Houve até um sobrevivente que encontrou coragem para retornar pela primeira vez a Auschwitz na companhia de Eva. Muitos sobreviventes do Holocausto e de outros genocídios visitaram o museu em Terre Haute, Indiana, para palestrar. Para sobreviventes em necessidade, Eva se mostrava rápida em oferecer apoio emocional e financeiro. Também vale ressaltar que dois dos maiores especialistas do mundo em Holocausto estabeleceram contato com ela. Para o rabino Michael Berenbaum, o perdão de Eva não satisfazia as exigências da lei judaica, mas ele respeitou os esforços dela em proporcionar educação sobre o Holocausto. O diretor da *USC Shoah Foundation* (Fundação

Shoah, Instituto de História Visual e Educação), Stephen D. Smith, optou por incluir Eva como uma das sobreviventes em seu *Dimensions in Testimony*, um programa destinado a compartilhar sua experiência em Auschwitz e apresentar suas ideias de perdão, embora ele próprio sentisse que determinar quem ou o que merece perdão seja uma decisão pessoal.

Quando Eva incentivava os jovens a "usar suas belas mentes", outra de suas lições de vida, ela inferia com base em seu próprio passado, quando por vezes tinha levado anos para encontrar as soluções ou respostas de que necessitava. Ela jamais parou de pensar, jamais parou de questionar, jamais estancou seu exame mental da vida, das pessoas, de sua própria história, do perdão, dos seres humanos de um modo geral — do que os motiva e os auxilia.

A vida cotidiana de Eva era permeada por seu senso de missão, com uma obstinação que é rara de encontrar. A menos que tivesse um compromisso em algum outro lugar, estava sempre em seu museu para guiar excursões e dar palestras a grupos — em especial a crianças de escola. Ela também lia todos os e-mails que recebia, respondendo a perguntas e dando conselhos, palavras de conforto e encorajamento para aqueles que estivessem lutando com questões delicadas na vida.

Os melhores dias no museu eram aqueles em que ela recebia grupos de escola. Crianças e adolescentes se conectavam com Eva porque ela lhes falava com honestidade, e jamais de cima para baixo. Com muita frequência, adultos pensam na infância como um período de despreocupação, quando na verdade muitas crianças têm vidas inimaginavelmente difíceis, a exemplo da própria Eva. Ela também reconhecia que crescer é difícil, mesmo sob as melhores circunstâncias. Falava a crianças e adolescentes como seres humanos inteligentes, com respeito e compreensão dos desafios que eles têm na vida, e eles a adoravam por isso. Em seus eventos, ela arranjava tempo para todos os que a abordavam.

Somos inclinados a pensar que uma pessoa que foi tratada com tanta crueldade por tantos em sua vida tenderia a ser desconfiada, ter uma parede, uma camada dura por fora. Porém, esse era um dos aspectos contraditórios da personalidade de Eva. Ela podia ser dura. Foi sargento-mor no exército israelense, e isso por vezes ficava aparente. Mas era incrivelmente aberta e, à exceção de jovens usando jeans rasgados — esse o incômodo de Eva —, ela recebia bem a todos no museu, em suas viagens e junto a seus grupos de apoiadores.

Sua lista de lições para a vida continuava a crescer para além dos itens básicos listados no epílogo. Uma das últimas que ela acrescentou foi: "Seja você mesmo, simplesmente o melhor que você possa ser".

Eva personificava o seu conselho. Era dona de si, e isso ia desde a sua idade, seu gênero, sua religião e sua história até seu terninho de poliéster azul, sua aversão a jeans rasgados, sua paixão por Chicken McNuggets e a antipatia por restaurantes "sofisticados". Ela jamais cobria o número que lhe fora tatuado — muito pelo contrário. Usava-o para iniciar conversas, fosse com visitantes do museu, com atendentes de restaurantes, comissários de bordo ou companheiros de viagem que se sentassem perto dela. Não havia momento em sua vida sobre o qual ela pensasse que não seria apropriado contar às pessoas que era uma sobrevivente de Auschwitz e que tinha perdoado os nazistas. Sua voraz proteção do direito de ser quem era e de fazer aquilo em que acreditava subjazia a todas as suas realizações enquanto ela continuava a falar sobre o Holocausto e seu perdão aos nazistas, mesmo enfrentando reações negativas. Sua autenticidade era outra qualidade que encantava as pessoas, especialmente os jovens.

Talvez o que houvesse de mais inesperado em Eva fosse o seu senso de humor. Eva era uma pessoa naturalmente engraçada, algumas vezes pelo simples fato de ser Eva, mas muitas vezes isso tinha um propósito. O Holocausto é um assunto bastante sombrio, difícil de discutir em quaisquer circunstâncias. Como com suas roupas, Eva usava o humor para fazer com que as pessoas relaxassem, dando abertura para perguntas, conversas, demonstrando estar confortável em compartilhar os detalhes tanto dos aspectos difíceis quanto dos felizes de sua vida.

Alex Kor, o filho de Eva, tem muitas histórias sobre o senso de humor de sua mãe. Em 1984, Eva decidiu visitar Auschwitz sozinha. A família ficou muito preocupada com sua segurança naquela longa viagem. Mesmo assim, Eva fez a viagem, tudo correu bem, e ela trouxe moletons personalizados para Alex e sua irmã, Rina. Na parte da frente dos moletons havia uma foto da libertação com Eva e Miriam; e nas costas, os dizeres: "Minha mãe sobreviveu a Auschwitz, e tudo o que ela me trouxe foi este moletom horrível".

No aniversário de cinquenta anos da libertação, Eva estava conduzindo um grupo de pessoas em visita a Auschwitz, e Alex fazia parte do grupo. Na chegada, Eva foi informada de que o campo não ia deixá-la entrar, porque ela não estava com a papelada necessária para a excursão de ônibus. Pois ela foi até a frente do ônibus, arregaçou a manga, apontou para o número tatuado e disse: "Há cinquenta anos vocês não me deixavam sair. E agora não querem me deixar entrar?". Eles conseguiram naquele dia.

Como uma sobrevivente de Auschwitz podia fazer piadas sobre o Holocausto? Sendo uma sobrevivente que havia perdoado a todos os que a tinham maltratado, curando a sua própria incomensurável dor emocional. De acordo com relatos de residentes de Terre Haute, Eva era uma mulher raivosa e amarga antes de ter perdoado; todos concordavam que ela parecia uma pessoa bem diferente depois do perdão.

Eva começou a conduzir visitas a Auschwitz em 1985 e continuou a fazê-lo até o fim da vida. É impossível a pessoa estar plenamente preparada para uma excursão a Auschwitz; é uma experiência mental e emocionalmente extenuante, embora profunda. E por mais que Eva atribuísse todo o peso e todas as sombras que a experiência merecesse, ela jamais permitia que os participantes se mantivessem naquele buraco negro e profundo. "Por que você está chorando?", perguntou a um membro do grupo em lágrimas. "Eu não estou chorando. Eu estou viva e feliz. A tarefa de vocês é aprender o que aconteceu aqui e ser uma testemunha, fazendo do mundo um lugar melhor quando forem para casa. É assim que vocês podem reagir ao conhecimento e à compreensão que obtiveram aqui. Não precisam chorar."

Na verdade, o seu direito a ser uma sobrevivente vitoriosa em vez de uma vítima sofredora foi sempre uma constante em Auschwitz. No verão de 2007, uma turista no Bloco 6 de Auschwitz confrontou Eva e os membros de seu grupo de excursão que estavam tirando fotos de Eva com sua imagem da foto da libertação, de 1945, que estava exposta numa parede. A turista declarou: "Isso não é certo. Vocês não deveriam estar dando risadas, tirando fotos e rindo". Eva imediatamente apontou para si mesma e disse: "Esta garotinha sou eu, e eu conquistei o direito de sorrir". Ao final da conversa, a turista estava rindo e chorando, o que lhe rendeu mais uma censura de Eva, acompanhada de um abraço.

Eva abraçava a alegria de muitas formas, desde os prazeres simples de testemunhar as árvores florescendo na primavera, ver a família e os amigos, até o seu trabalho diário no museu. Sua alegria também incluía algumas traquinagens, como foi visto quando ela esteve em Albuquerque, Novo México, para uma conferência para professores. Um casal recém-casado fazia uma sessão de fotos no saguão do hotel. Eva viu aquilo como oportunidade para bagunçar um pouco a sessão, fazendo uso de um chapéu coco e de um bigode que "havia tomado emprestado" dos adereços do fotógrafo. Durante a realização de um documentário sobre a sua vida, Eva e a equipe de filmagem foram a Israel, e, durante a visita, o grupo decidiu fazer uma excursão de improviso ao Mar Morto. Todo mundo havia trazido short ou roupa de banho, exceto Eva, mas isso não se revelou um problema. Ela entrou na água em seu terninho azul, boiando no mar, amando cada minuto daquela aventura. Aquela baixinha tinha estilo.

Em seus últimos anos de vida, Eva teve muitas outras alegrias. Uma das maiores foi o documentário *Eva: A-7063*, lançado em 2018 e produzido pela emissora Indianapolis PBS, pela WFYI e pela produtora Ted Green Films. O documentário proporciona um contexto importante para a história de Eva, particularmente durante os anos intermediários de sua vida, quando ela se debatia com seus sentimentos de raiva, amargura e rejeição. O filme foi exibido nos canais da PBS, nos Estados Unidos e na Alemanha, recebeu numerosos prêmios e foi amplamente usado por professores, junto com o livro de Eva. Outra amizade especial floresceu quando o músico escocês Raymond Meade leu a história de Eva e entrou em contato com ela. A BBC produziu um documentário contando a história de Eva e a amizade entre eles.

Uma vez que Eva nem sempre foi bem-vista em seu estado de residência, sobretudo em seus primeiros anos, ela ficou especialmente orgulhosa quando se viu contemplada com a mais elevada honraria concedida a um cidadão de Indiana, o Sachem Award, pelo governador Eric Holcomb. Contudo, em seu discurso de agradecimento, ela revelou ambições políticas maiores. Quis falar ao Congresso em Washington, dirigiu aos congressistas um belo protesto e instou-os a que parassem de brigar e fossem mais realizadores. Ela estava convencida de que podia pôr alguns políticos na linha.

Mais reconhecimento veio quando Eva foi convidada a participar de um projeto da Shoah Foundation. A exibição incluía tecnologia semelhante à do holograma, possibilitando às pessoas interagirem no formato pergunta-e-resposta com vídeos em 3D de um sobrevivente. Para criar seu testemunho, Eva teve de ficar sentada numa sala durante uma semana inteira, com centenas de luzes incidindo sobre ela, cercada por câmeras, respondendo a mais de mil perguntas sobre os mais variados aspectos de sua vida. Os testemunhos registrados dos sobreviventes podem ser encontrados em diversos museus do Holocausto no país, bem como na Shoah Foundation, em Los Angeles.

Eva também recebeu um prêmio da *Anti-Defamation League* (Liga Antidifamação) no John F. Kennedy Center em Washington por seus esforços pela educação sobre o Holocausto. Embora continuasse a compartilhar sua história e sua mensagem de perdão sabendo que muitos não concordavam com ela, Eva sempre esperou uma aceitação que viesse dos judeus e das comunidades do Holocausto. Seu único aborrecimento no prêmio do Kennedy Center foi o limite de cinco minutos a seu discurso. Fazer Eva falar era fácil; fazê-la parar era outra história.

Os pensamentos de Eva foram amplos e profundos até o fim da vida. Suas palestras tendiam a ficar mais longas, porque as "lições para a vida" que ela queria ensinar aos jovens continuavam a se multiplicar. E seus interesses se amplificavam — ela não apenas desafiava outros a continuarem pensando em como fazer do mundo um lugar melhor para viver, como esse era para ela um processo constante, sendo em particular de auxílio às pessoas jovens. Ela queria que crianças e jovens adultos traumatizados tivessem a chance de viver numa fazenda, como ela fizera em Israel, curada pela comunidade e pelo trabalho de jardinagem e de cuidado dos animais. Nos eventos em escolas, ela sempre insistia em que os uniformes devessem ser usados por todas as crianças — elas ficavam mais bonitas, e isso evitaria que os estudantes fossem julgados, para o bem ou para o mal, por causa de suas roupas. A importância que ela depositava na questão do vestuário ficava evidente em muitas situações, talvez advinda das memórias calorosas do cuidado de sua mãe com o que as filhas vestiam.

Eva Mozes Kor faleceu nas primeiras horas da manhã de 4 de julho de 2019. Ela tinha expressado em muitas ocasiões o desejo de viver até os cento e dez anos, para estar presente no centésimo aniversário de comemoração pela libertação de Auschwitz. Por mais que estivesse com oitenta e cinco anos e enfrentasse problemas de saúde que a levaram ao hospital diversas vezes em 2019, ela seguia com suas atividades, viajando pelo mundo, dando conferências, fazendo viagens guiadas, aceitando prêmios, trabalhando em seu escritório no museu. E se há alguém capaz de sobreviver pela pura e simples determinação, esse alguém seria Eva Kor.

Nas viagens de grupo para Auschwitz naquele verão, Eva se mostrou ativa e feliz, guiando grupos ao museu sem que nada indicasse que ela estaria em seus últimos dias de vida. Ela tuitou expressando o seu prazer em encontrar sua comida favorita ali nas proximidades: "Vocês acreditam que hoje eu posso ter Chicken McNuggets perto de Auschwitz? Isso teria sido maravilhoso setenta e cinco anos atrás. Eles têm o mesmo gosto em todos os países e estavam uma delícia". Sua morte foi súbita e inesperada, e houve muitas pessoas, perto dela e pelo mundo afora, que ficaram arrasadas com a perda. A cobertura midiática foi ampla.

De certo modo veio a calhar Eva ter falecido no 4 de julho, o dia da independência dos Estados Unidos. Ela representava a promessa e a diversidade que há nos imigrantes, o modo como podem enriquecer nossas vidas e nossa cultura de maneiras que nós nem esperamos. Como acontece com muitos imigrantes, era vorazmente orgulhosa de ser cidadã americana. Havia batalhado para conseguir sua cidadania e era uma apreciadora das liberdades e da cultura americanas. Se foram os soldados soviéticos que libertaram Auschwitz, ela sempre contava ter visto aviões com a bandeira americana dando-lhe a esperança de liberdade e dizia que desde então passou a associar a bandeira americana à liberdade.

O fato de ela ter falecido em Cracóvia, a cidade mais próxima de Auschwitz, foi perturbador para alguns. Acharam trágico o fato de ela ter morrido ali, após ter sido tão valente em sobreviver quando era criança. Por outro lado, há em sua localidade de falecimento aspectos providenciais. Para Eva, Auschwitz era um lugar de triunfo, o maior de sua vida. Ela, uma criança pequena, havia vencido os nazistas. Como ela sempre dizia: "Os nazistas estão mortos. Eu estou viva". Já para outras pessoas, era algo notável que ela quase parecia mais viva e feliz ao visitar o campo. De certo modo, ela celebrava a sua vida cada vez que retornava. Mas aquelas viagens não se davam sem seus momentos sombrios.

Eva sempre depositava flores e acendia uma vela em honra à sua família no campo de concentração, e essa questão ainda a emocionava mesmo após todos esses anos. A perda da mãe, em particular, era uma dor que jamais se esvaiu por completo.

Eva Kor, a humanitária e lutadora pela justiça, pela cura, pela paz, de certo modo foi formada naquele campo, uma mulher de força e determinação obstinadas. Se na maior parte de sua vida ela não acreditou em Deus — o que é muito comum entre sobreviventes do Holocausto —, suas concepções a esse respeito mudaram nos anos que antecederam a sua morte. Ela expressou a diversas pessoas pensar que Deus pudesse existir, e talvez tenha sido o destino que a fez passar pelo que passou para poder descobrir o poder curativo do perdão e espalhar essa mensagem mundo afora.

Em seu último dia de vida, ela estava às portas das dependências de Auschwitz. Um coro de meninos estava em visita ao campo e ficou sabendo que ela estaria lá. A coordenadora da excursão e amiga próxima, Beth Nairn, enviou a Eva uma mensagem de texto dizendo que trinta e seis belos jovens estavam esperando para vê-la e queriam cantar para ela. Eva chegou poucos minutos depois e pediu a sua canção favorita, "The Impossible Dream" — a letra expressa a sua crença de que tudo é possível. De algum modo, o diretor de coro e os garotos acharam a letra e cantaram um pouco da canção, seguida de duas outras belas canções que haviam ensaiado — ela amou demais a sua execução.

Eva tinha planos de visitar o mosteiro de Katowice pela primeira vez desde a sua estada lá após a libertação, mas infelizmente não era para ser. Uma equipe de seu museu visitara o mosteiro poucos dias antes a fim de verificar o local e então levar Eva à viagem. Por uma incrível coincidência, naquele momento, como em 1945, as freiras usavam hábitos do mesmo azul reluzente que Eva mais tarde adotaria como a sua cor. Ao ver fotos das freiras, ela concordou que o azul que ela amava pode ter sido uma associação esquecida com os sentimentos de liberdade e segurança. Ela também encontrou o rabino Bleich, vice-presidente do Congresso Mundial

Judaico. Quando Eva explicou a ele o seu perdão, Bleich lhe perguntou se ela havia perdoado em seu próprio nome ou em nome de outros. Ela lhe garantiu que o seu perdão era apenas em seu próprio nome, e ele disse que tal perdão era algo bom. Ela então disse gostar dele.

Eva faleceu nas primeiras horas da manhã tendo recebido de um proeminente rabino judeu a bênção para o seu perdão, além de uma execução dedicada a ela por um coro de meninos, e fazendo o que mais amava — ela estava conduzindo um grupo numa excursão a Auschwitz, contando a sua história, sentindo gratidão e alegria e compartilhando sua mensagem de perdão para curar o mundo.

Quando o documentarista Ted Green pediu ao governador Holcomb que imaginasse a cena que se teria caso Eva tivesse realizado o seu desejo e pudesse falar ao Congresso, ele respondeu: "Bem, haveria um gigante na sala, e esse gigante seria Eva". Sem dúvida, Eva foi um dos gigantes de nossos tempos.

Ela costumava dizer a crianças e jovens que eles tinham o poder de mudar o mundo. Entendia que pessoas, jovens e velhas, pensavam ter de fazer parte de uma grande organização para realizar mudanças numa escala ampla. Mas o que Eva nos ensinou, por palavras e ações, foi o poder do indivíduo.

Se uma sobrevivente de Auschwitz de menos de um metro e meio, órfã, refugiada, imigrante, corretora de imóveis com sotaque romeno em Terre Haute, Indiana, pôde encontrar um público mundial para a sua história e para a sua mensagem, qualquer um de nós pode fazer a diferença, não importando quem somos ou onde estejamos.

Eva sempre terminava suas palestras com: "A raiva é uma semente da guerra; o perdão é uma semente da paz". Espero que leitores se sintam inspirados a escolher a paz em honra da primeira — e com certeza única — Eva Mozes Kor.

NOTA DA AUTORA

Lisa Rojany Buccieri, abril de 2009

Este livro veio à luz em meio aos esforços de muitas pessoas. Em primeiro lugar e mais do que tudo, ele se baseia nas memórias de uma pessoa. Eva Mozes Kor foi testemunha ocular de uma série de crimes contra a humanidade. Por meio de suas palestras em escolas e no museu do Holocausto por ela fundado, Eva sempre soube que a sua história era importante para o aprendizado dos jovens. Quando Peggy Tierney a abordou pela primeira vez com a proposta de publicar um livro, ela aceitou de imediato. O maior sonho de Eva era o de que o seu livro fosse usado em escolas para ensinar os jovens acerca do Holocausto e servisse de inspiração para que suas lições fossem usadas em suas próprias vidas.

Katie McKy entrevistou Eva extensivamente, fazendo muitas perguntas pertinentes e conseguindo que Eva se abrisse e se expressasse de modo com que os leitores pudessem se identificar.

Susan Goldman Rubin escreveu um esboço amplo e detalhado e o fez tanto ao encontrar Eva pessoalmente quanto por acrescentar muita pesquisa valiosa e perspicaz, realizada com base nos materiais de que partiu. Sem Susan, a escrita deste livro não teria sido possível no curto espaço de tempo que lhe foi atribuído.

Peggy Tierney, nossa editora na Tanglewood Books, serviu de líder de torcida de Eva no decorrer dos anos pelos quais passaram por diversas autoras e um sem-número de rascunhos. Ela sabia que Eva tinha uma importante história para contar e acreditava que tal história precisava ser contada. Quero agradecer a Peggy por acreditar em minha habilidade de coletar esses materiais e escrever este livro de um modo que, tanto aderisse à verdade tal qual Eva a entendia, quanto trouxesse sua história à vida de um modo que jovens leitores pudessem revivê-la na segurança destas páginas. Só posso esperar que esses leitores vejam este livro como algo que vale a pena por todos os nossos esforços.

Foi um privilégio para mim trabalhar neste importante projeto, ajudando a transmitir a história de Eva Mozes Kor a uma nova geração de leitores. Não existem muitas crianças do Holocausto, menos ainda gêmeos de Mengele, que viveram para contar suas histórias. Eva conseguiu. E esta história é contada em sua voz, na primeira pessoa, como um adulto olhando sessenta e cinco anos para trás, para um tempo em que uma garotinha, segurando a mão trêmula de sua irmã gêmea idêntica, apareceu nos portões do horror — e sobreviveu.

BIOGRAFIAS DAS AUTORAS

EVA MOZES KOR (1934-2019) fundou uma organização para gêmeos sobreviventes de Mengele em 1985 e ajudou a pressionar governos na busca por Josef Mengele. Em 1995, inaugurou um pequeno museu do Holocausto em Terre Haute, Indiana, que se transformou no *CANDLES Holocaust Museum and Education Center*, onde ministrou palestras e conduziu excursões, em especial para crianças em idade escolar. Foi uma palestrante reconhecida, tanto nacional quanto internacionalmente, que tratava de tópicos relacionados ao Holocausto, à ética médica, ao perdão e à paz. Recebeu cobertura em muitas produções midiáticas, incluindo o *60 Minutes* e o *20/20*, e foi tema de um documentário, o *Forgiving Dr. Mengele*. O endereço na web para o museu é www.candlesholocaustmuseum.org

LISA ROJANY BUCCIERI escreveu mais de cem livros para crianças, incluindo diversos vencedores de prêmios e *best-sellers*. É também editora executiva e editora com mais de trinta anos de experiência na indústria e autora principal do *Writing Children's Books for Dummies*. Além de encabeçar quatro editoras *start-ups*, Lisa ao mesmo tempo dirige o seu próprio negócio: a Editorial Services of L. A. É diretora editorial da Golden Books, Price Stern Sloan/Penguin Group USA, Gateway Learning Corp (Hooked on Phonics) e da Intervisual Books. Lisa vive com sua família em Los Angeles.

CRÉDITOS DAS FOTOS

Página 12: Mapa de Yad Vashem, Memorial do Holocausto Yad Vashem.

Página 14: Da coleção pessoal de Eva Kor.

Página 15: Da coleção pessoal de Eva Kor.

Página 19: Da coleção pessoal de Eva Kor.

Página 20: Da coleção pessoal de Eva Kor.

Página 37: Detalhe do mapa da página 12 com linha traçada entre o gueto de Şimleu Silvaniei e Auschwitz.

Página 40: Cortesia do Museu Memorial do Holocausto dos Estados Unidos.

Página 41: Cortesia do Museu Memorial do Holocausto dos Estados Unidos.

Página 44: Cortesia do Museu Estatal Auschwitz-Birkenau em Oświęcim, Polônia.

Página 45: Cortesia do Museu Memorial do Holocausto dos Estados Unidos.

Página 57: Cortesia do Memorial do Holocausto Yad Vashem. Fotógrafo: Wilhelm Brasse. Foi acrescentada uma barra preta horizontal.

Página 58: Cortesia do Museu Estatal Auschwitz-Birkenau em Oświęcim, Polônia.

Página 60: Fotografia tirada de um documento original dos arquivos do Museu Estatal Auschwitz-Birkenau, da coleção pessoal de Eva Kor.

Página 61: Fotografia de um documento da coleção pessoal de Eva Kor.

Página 95: Cortesia do Museu Estatal Auschwitz-Birkenau em Oświęcim, Polônia.

Página 103: Cortesia do Museu Memorial do Holocausto dos Estados Unidos.

Página 107: Da coleção pessoal de Eva Kor.

Página 112: Da coleção pessoal de Eva Kor.

Página 116: Da coleção pessoal de Eva Kor.

Página 121: Da coleção pessoal de Eva Kor.

Página 124: Da coleção pessoal de Eva Kor.

Página 125: Da coleção pessoal de Eva Kor.

Página 127: Da coleção pessoal de Eva Kor.

As visões ou opiniões expressas neste livro e o contexto em que as imagens são usadas não necessariamente refletem as visões ou a política do Museu Memorial do Holocausto dos Estados Unidos nem implicam sua aprovação ou endosso.

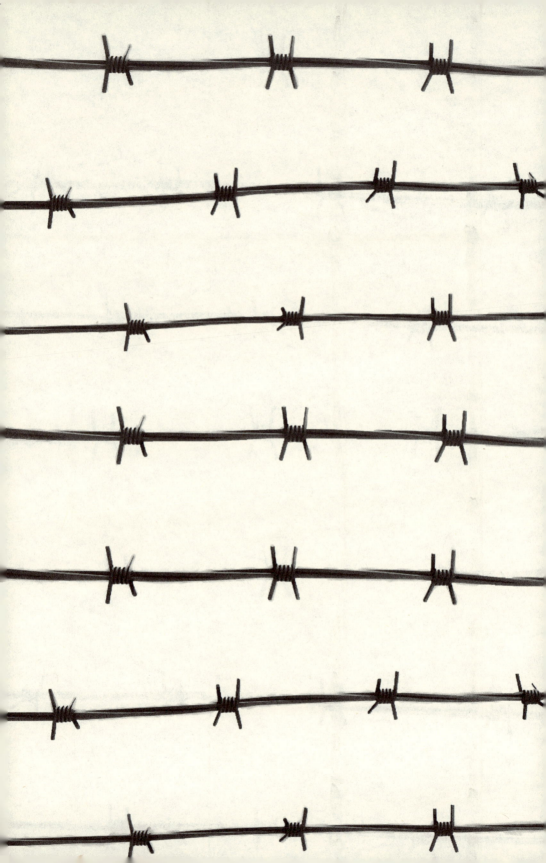

ASSINE NOSSA NEWSLETTER E RECEBA INFORMAÇÕES DE TODOS OS LANÇAMENTOS

www.faroeditorial.com.br

Campanha

FiqueSabendo

Há um grande número de pessoas vivendo com HIV e hepatites virais que não se trata. Gratuito e sigiloso, fazer o teste de HIV e hepatite é mais rápido do que ler um livro.
Faça o teste. Não fique na dúvida!

ESTA OBRA FOI IMPRESSA
EM MAIO DE 2023